JN108771

民衆こそ王者

池田大作とその時代

16

未来に生きる人篇

潮出版社

民衆こそ王者　池田大作とその時代⑯　「未来に生きる人」篇　目次

装丁／金田一亜弥
高畠なつみ
カバー写真／音楽隊・鼓笛隊の合同演奏会で、
出演者に敬意を表し称える池田
（二〇〇二年十一月、東京・八王子市）

民衆こそ王者

池田大作とその時代⑯

「未来に生きる人」篇

第1章 嵐の中で、届け続けた言葉――福井、静岡

池田は一期一会の出会いに全力を注いだ。

福井の武生駅での七人の鼓笛隊員。東京の明治公園での励まし。

静岡では六十人近い高校生らに、発刊したばかりの小説『人間革命』第五巻を贈った。

「男子は大学に合格した時、女子は高校を卒業した時、その五巻を持ってきてほしい」と。一冊一冊にお祝いの言葉を書いてさしあげたいというのだ。

「未来に生きる人」篇の第一回。

「未来」は「今、この時」の真剣勝負でつくられる。

「あの日の会合は夕方からで、学校が終わってギリギリ間に合う時間でした。駅まで走って行ったのを覚えています」。辻栄子は福井の気比（けひ）中学の二年生だった。学校の授業が終わるとドラムのスティックをカバンに突っ込み、待ち合わせ場所の国鉄（現・ＪＲ）敦賀（つるが）駅へ向かった。

「お母さんに心配かけないように」

創価学会に「鼓笛隊（こてきたい）」というグループがある。今ではさまざまな地域行事やパレードで演奏（えんそう）することも多く、鼓笛隊のある国や地域はブラジル（ブラジル平和の翼鼓笛隊）、韓国（アリラン鼓笛隊）、香港（紫荊（ジーケン）鼓笛隊）など約三十を数える。

鼓笛隊が日本で産声（うぶごえ）をあげたのは一九五六年（昭和三十一年）の七月。「〝まさか〟が実現」

台湾で開催された国際管楽祭に出演し、軽快なパレードを披露する台湾ＳＧＩの鼓笛隊（2017年12月、嘉義市）

と驚かれた「大阪の戦い」の直後だった。池田大作は語っている。「東京・大田区の小林町の小さなわが家――吹けば飛ぶような家で、妻とともに、女子部の代表と鼓笛隊の夢を語りあったことが、今日の鼓笛隊の淵源となった」（二〇〇一年十一月のスピーチ、『池田大作全集』第九十三巻）。

まだ第三代会長になる前の池田が、ゼロから、手づくりで育て続けた。〈当時は、貧乏な、わが家であった。学会も同じである。「どうにかして、楽器を買ってあげるから、少々、時間をくれないか」と、私は語った。皆、喜んで帰っていった。しばらくたって、幾つかの楽器を買って差し上げた〉（池田のエッセー、同一三一巻）。

工面して集めた楽器はファイフ（横笛）が四十本、ドラムが十台だったという。ドラムは駐留米軍からの払い下げで、赤と青の派手な線が入っていた。

＊

池田が福井を訪れたのは、イギリスの歴史家アーノルド・J・トインビーとの対話を終え、帰国したばかりの時だった（池田・トインビー対談については、単行本『民衆こそ王者』第十四巻で詳述）。ロンドンからフランスのパリ、オランダのアムステルダムを経て、羽田に着いたのは一九七三年（昭和四十八年）五月二十七日の夕刻である。

三週間に及ぶヨーロッパ訪問だった。九日後、池田は福井にいた（六月五日）。米原から急行「立山2号」の乗客となり、武生駅へ向かっていた。

ヨーロッパから日本に戻り、最初の大きな地方指導が福井だった。続けて岐阜（同七日）、愛知の名古屋（八日）を回った。いったん帰京した後、群馬へ（十日）。三日後に訪れた創価大学では、多くの本を寄贈している（十三日）。

中道恭子は敦賀高校に通う十六歳だった。「私たちが福井で鼓笛隊に入った昭和四十年代は、そもそも楽譜の読み方がわからないところからのスタートでした。楽器はアコーディオンを選んだんですが、練習に持っていくのが重くて、軽いバトンのほうがよかったなあと思いました」と笑う。

夕方、武生市体育館で学会の大きな会合がある。鼓笛隊の練習仲間七人で集まり、十五時四十一分発の急行「立山2号」に乗らねばならない。最年長は敦賀高校二年の竹本やえみ。一番年下の谷口靖子は松陵中学の一年生である。

敦賀駅に集まって談笑する七人は、自分たちがこれから乗る急行に池田大作が乗っていることをまだ知らなかった。

「鼓笛隊（こてきたい）だね？」

敦賀から武生まで、三十分ほどの小さな旅である。

「武生の体育館は、よく通いました。体育館の軒下（のきした）や屋根のあるところで鼓笛隊の練習をしていたんです」（中道恭子）

「あの日の会合は、最初は鼓笛隊も出演する予定だったのですが、学校があるから時間的に難しいということになったようです。でも会合そのものには参加できると連絡がありました」（竹本やえみ）

「せっかくたくさん練習してきたんだから、私はせめてドラムのスティックだけでも会場に持っていこうと思ったんです」（辻栄子）

武生駅の改札を抜けて、駅舎（えきしゃ）も出て、短い階段を下（お）りたあたりで七人とも「なんとなく、いつも練習で通っている時と雰囲気（ふんいき）が違った」と語る。

だれ言うともなく、さっき通ったばかりの改札を振り返った。出入りする人波の合間から、背広姿の池田が見えた。「先生がチラッと駅舎の外にいる私たちを見られたように感じましたが、小さな男の子を連れた婦人部の方が先生のそばに歩み寄られました」（中道恭子）。

池田は改札を出たところで立ち止まり、母と子に声をかけ、一心に励ましている。七人は駅舎の外からその様子を見つめていた。

同行のスタッフたちが、駅前に止めてある車のほうに池田を案内しようとしたが、池田は七人のほうへスタスタと歩き始めた。

駅舎の外に立っていた七人は、それぞれの学校の制服を着ている。彼女たちは今でも不思議に思う。池田は緊張している七人に、

「鼓笛隊だね？」

と声をかけたのである。

「あの時は七人とも楽器を持っていなかったんです。不思議でした」（中道恭子）

「私たちから駆け寄ったわけではなかった。ドラムのスティックを持っていたけどカバンに入れていたし、みんな制服姿だし、外見では鼓笛隊だとわかるはずがないんですよ」（辻栄子）

「今日は授業どうしたの？」

「勉強がんばりなさい」

一人ずつ握手しながら池田が声をかけていく。「緊張しちゃって、握手の時にうっかり左手を出したことを覚えています」（谷口靖子）。

武生駅での鼓笛隊メンバーとの出会い。一人ひとりと握手を交わし、励ましの言葉を送った（1973年6月）©Seikyo Shimbun

「お母さんに心配かけないようにしなさい」
「あとで、パリで買ったお土産の絵はがきをあげよう」。そう言い残し、池田は車中の人となった。

パリの凱旋門。路上で絵描きがカンバスに向き合う一瞬。エッフェル塔。オランダの風車……その日の会合の後、七人のもとに色とりどりの絵はがきやお菓子が届いた。

*

この、武生駅での出会いの二年ほど前――東京での一コマを、池田自身が綴っている。

〈……鼓笛隊の練習場に、かつて、伸一（山本伸一＝池田のペンネーム）は、幾度も応援に行った。名もなき、庶民の家庭の妹たちは、なんの屈託もなく、若鮎のごとく、はしゃぎ、すくすくと、人間的にも、技術的にも成長していった。

真の人間としての、また青春としての勝利の道を、健気に進んだのは、彼女たちである。学校の合間、職場の合間を縫っての、厳しい自己の修練の姿に、父母が喜び、温かいまなざしを送ってくれたのは、なによりも嬉しかった〉（『随筆　人間革命』、『池田大作全集』第二十二巻）

一九七一年（昭和四十六年）正月のある休日、池田は二人の青年部幹部とともに、都内のある会場へ向かっていた。

〈……寒い日の夕方であった。車で明治公園の脇を通り過ぎようとすると、数十名の普段着の乙女らが、姉妹のごとく、仲良く、なにかしていた〉（同）

池田はそばの青年部幹部に「ことによると、鼓笛隊の人たちかもしれない」と言った。

「いや、違うでしょう」という返事に、池田は納得できなかった。

〈「会場に着いてから、確かめてくれ。もし違えば、それでいい。しかし、そうであったならば、お菓子でも買って、差し上げてくれ。確かめなければ気がすまない」

会合が終わって、うけた報告は、まさしく鼓笛隊であった〉（同）

＊

この時、明治公園での練習の責任者をしていた茅野美津子は「あの年の五月三日に日本武道館で『鼓笛祭』がありました。公園でマーチングドリルの練習をしていたら、そばを通られた先生からお菓子が届いたんです」と振り返る。

当時の鼓笛部長だった名村文江。「昭和四十三年の四月にも、バトントワラー隊の練習中に

日本武道館で開催された鼓笛祭。テレビ放映され、前年の言論出版問題の嵐を打ち払う盛大なイベントとなった（1971年5月、東京・千代田区）©Seikyo Shimbun

先生の車が明治公園脇の外苑西通りを通って、励まされたことがありました」と述懐する。

車の窓を開けた池田は「ごくろうさま。温かいうちに食べなさい」と声をかけ、二人がかりで持っても両手に山ほどあるホットドッグを、車窓から鼓笛隊の代表に手渡した。

「あのころは屋外で練習することが多かったんです。練習場所が変わったら、連絡するために十円玉をもって公衆電話に走りました」。平川良子は鼓笛隊の副部長だった。「昭和四十五年五月三日は、言論出版問題で社会的に激しく批判されている渦中の本部総会でした。あの時も私たちは両国駅から会場の日大講堂までパレードしました」。

「その後、先生は『日本武道館で鼓笛祭を開こう』と提案されたのです。鼓笛祭の日付は、あの本部総会からちょうど一年後の昭和四十六年

五月三日でした」（名村文江）

内外の来賓四〇〇〇人超、各国の大使館関係者や海外からの招待も含め、観客数は一万数千人に及んだ。鼓笛隊二三〇〇人、音楽隊や合唱団など三三〇〇人が出演する大イベントである。全国三十二局のテレビで約一時間にわたって放映された。

「お休みの日の練習は、鼓笛祭に向けての準備の真っ最中だったんです。鼓笛祭の本番には多くのマスコミを招待しました。武道館で演奏を終えた私たちに向かって大きく手を振られた先生の姿を鮮明に覚えています」（名村文江）

『法華経の智慧』には、創価学会の文化運動について次のようなやりとりがある。

斉藤　……教育・文化に貢献する創価大学にしても、民音（民主音楽協会）や富士美術館にしても、創立に対して、だれもが反対したそうですね。（笑い）

池田　文化祭だって、鼓笛隊だって、研修道場だって、みんな反対したんだよ（笑い）。仏法のすばらしさを、より多くの人々と分かちあうには、文化・教育・平和という普遍的な広場をつくらなければいけないのです。

昔の学会は、色でいえば「灰色」です（笑い）。それを、私がカラフルな彩りに、変えたのです。

（普及版〔下〕八十ページ）

池田は折に触れて、鼓笛隊を法華経に説かれる「妙音菩薩」になぞらえ、「無冠の外交使節」と称えてきた。鼓笛隊は池田にとって、"単色"から"虹色"に変わりゆく創価学会の象徴の一つだった。

福井の武生駅――。

「私は運送会社で働いていた父を早くに亡くして、母と兄と三人暮らしでした。だから先生に『お母さんに心配かけないようにね。大事にしてあげてください』と言われて心が震えました」

気比中学二年だった安部恭子。小学四年から鼓笛隊に入り、「学校に行くより楽しかったですね」と語る。「あの日の会合では"郷土に将来性を見出してください"という先生の話が心に残りました。中学生ながら『自分が今いる場所でベストを尽くそう』と決意したきっかけです」。

福井は長年、「保守王国」とも「仏教王国」とも言われてきた。当時、寺の数は"一〇〇世帯に一つ"という高い割合だった。

池田はこの日、「ルネサンス（復興）」という言葉を使った。古代からの福井の歴史を辿り「私は"消極性""保守王国"というレッテルを断じて否定するものであります」と訴えた。後年、〈私が最初に、「郷土のルネサンス」を訴えたのも、福井の地であった〉（『池田大作全集』第一三〇巻）と述懐している。

「自分の娘だと思えば、その尊さがわかる」

会合の終わりごろ、池田は「さっき武生の駅で会った鼓笛隊の方、手を挙げてください」と呼びかけた。満員の場内で竹本やえみは「『あの、ピンで髪の毛を留めた女子高生』という先生の声を聞いた時、『あ、私のことや』とビックリしました」と語る。「いつも前髪をおろしていたんですが、あの日に限って母から『おでこが見えるように髪をヘアピンで留めていきなさい』と言われて。白いピンでした。まさかこんな細かいところまで目に留めておられたとは……」。

やえみと中道恭子は姉妹である。一九六四年（昭和三十九年）、家族で創価学会に入った。貧困と、母・泰子の病がきっかけだった。恭子は小学一年のころ、授業が終わった後、担任の教師から残るように言われ、箱に入った古着の服をもらったこともあった。父の時雄はトラックの運転助手だった。港で荷下ろしをし、毎日、作業着を真っ黒にして帰ってきた。

「私が婦人部の役職に就いた時、何人もの人から『お父さんとお母さんにお世話になった』と言われました。ある方は、障がいのある子が生まれた時、あなたのご両親が『罰なんかじゃないよ。信心で一緒にがんばろうね』と声をかけてくれたことが忘れられない、と。両親がやっ

てきたこと、創価学会がやってきたことについて、あらためて教わりました」（中道恭子）

西本久美子は小さいころ、両親の夫婦げんかが絶えず、悲しい思いをしていた。「なぜ自分の家だけが、と思っていました。まず母が学会に入りました。私は小学五年の夏、研修会で初めて池田先生の話を聞いて、ちょうどその時に鼓笛隊というものがあることを知ったんです。鼓笛隊を通じていろいろな方にお世話になり、よく〝創価家族〟〝学会家族〟って言われるけど、そのすごさがわかりました」。

＊

七人の少女への励ましは、七人だけへの励ましではなかった。池田にとっては、一人ひとりの向こうに何人もの人がいた。

自らの病。家庭の問題。現在進行形の人も多い。

「（女子部が）自分の娘だと思えば、その尊さがわかる。父親にとって、娘がどれほど大事か。本音を言えば、外に出したくない（笑い）。余計なことはさせたくない。それが親心というものだ。しかし、皆さんは、人のため、法のため、自身の一生の幸福のために、日々、勇んで前進しておられる。それは、一家の幸福のためでもある。わが娘ならずとも、涙が出てくる思いだ」（池田のスピーチ、二〇〇六年八月二十五日付「聖教新聞」）

「一人の立派な女子部が立てば、一家も変わる。結婚した場合には、子どもや夫の家族をも、皆、幸福にしていける」（同、四月二十八日付「聖教新聞」）

池田から直接、間接に受けた女子部時代の薫陶が、それぞれの人生を歩むための〝杖〟になり、先が見えない時の〝羅針盤〟になってきた。

辻栄子は武生駅での出会いの翌年、父親を亡くしている。経済苦の渦中、栄子は創価大学へ行きたいと願った。母の和枝は「お金のことは枝葉末節だから。武生で先生と約束したんだから、行っておいで」と送り出した。

「姉と妹の応援がなければ大学には到底進めませんでした。私が創大に入学した翌年が、池田先生の会長辞任です。大学四年の秋に、有名な『迫害と人生』の講演がありました（単行本『民衆こそ王者』第二巻に詳述）。私は運営スタッフだったので、壇上であの烈々たる講演を聞くことになりました」

結婚し、子どもに恵まれたが、次男の不登校に長年悩んだ。今、そうした体験談を婦人部主催の「平和の文化フォーラム」で語っている。

谷口靖子は家庭の事情で高校には進学しなかった。「家計を支えるために働きに出ました。でも美容師になりたかったので、三重の四日市で、昼間は働きながら二年ほど美容学校に通いました」。

故郷を離れる時、敦賀駅で鼓笛隊の先輩が見送ってくれた。一年後、帰省した時に感謝の気持ちを込めてハンカチを贈った。「田辺さんという先輩でした。しばらくして彼女から手紙が来ました。〝いっぱい大変なことがあったんだろうね。我慢したんだろうね。いっぱい悔しい思いをして、涙を流したこともあっただろうから、お礼の品にハンカチが思い浮かんだんだろうね。でも、やっちゃんが頑張っているのは池田先生が見ているよ。御本尊が見ているよ〟……こういう内容でした。あの手紙のことは今も忘れられません」。

子どもを授かった後、離婚し、明日支払うお金もない状態になったこともあった。

「平成十七年に、あの時の七人で集まったことがあったんです。全員そろったのは三十二年ぶりでした。その時にみんなに励まされて祈り方を変えました。自分のお店なんか持てないとあきらめていたんですが、必ず持とう、と」

二〇〇九年（平成二十一年）四月、三重の鈴鹿市神戸で念願の美容室を開くことができた。

「よく言われる言葉ですが、『冬は必ず春となる』という御書（一二五三ジ）が好きです。信心しているからこそ、こんなとこで負けとったらあかんな、先生ならなんて言われるだろう、と思ってきました」。

つらくても生きていく

「先生と出会った四年後、高校三年の時に母が急死しました。お母さんを大事に、という先生の一言が一番こたえたのは私かもしれません」

山崎純子は今、「日本グリーフケア協会」の特級アドバイザーとして活動している。大切な人と死別し、悲嘆（グリーフ）に苦しむ人々を支援する。年に数回、企業などからも講演を頼まれる。

「いつも心にあるのは『法華経の智慧』です。池田先生ならどのようにお話しされるだろうか、愛別離苦の苦しみを生きる力に変えていくためにはどうすればいいのか。苦しい状況のご本人の中にある、光を求めているような気持ちに気づいていただけるようにしよう、と思って取り組んでいます」

グリーフケアに携わるようになったきっかけは、十二年前に起きた。愛する長男の大樹を交通事故で亡くした。

信心しているのに、なぜ死んだのか。未入会の家族から問われることもあった。「学会活動から遠ざかっていた時期も随分ありました。親しい友人が『大丈夫だよ。〝充電〟していたんだね』と言ってくれて……。充電の時があったから今がある、と言えるようになったことに感謝しています」と述懐する。

『法華経の智慧』で、池田はこう語っている。「私どもは『ありのまま』でいいのです。凡夫そのままの『無作』でいくのです。久遠の凡夫のまま『つくろわず・もとの儘』（御書七五九ページ）で、自体顕照していけばよい」（普及版〈中〉一〇一ページ）。

純子は自分ががんになったことをきっかけに「がん哲学外来市民学会」の認定コーディネー

音楽隊・鼓笛隊の合同演奏会で、出演者に敬意を表し称える池田（2002年11月、東京・八王子市）©Seikyo Shimbun

ターにもなった。

「『そんな辛いことがあったのに、よく頑張れるね』と言われます。でも、どんなに辛くても、人は生き抜きます。闘病中も『ここで終わらない』と思いました。息子を亡くした時もそうでした。池田先生との出会い、鼓笛隊での薫陶、みんなに支えられて今の自分があるから」と語る。

「『今度は、そういう人たちと共に生きていく力をつけさせてほしい』と祈っています。悩みながらでも、泣きながらでも、楽しむべき時は楽しむ大切さを知ってほしい」

日蓮の門下に、十六歳の息子を亡くした母親がいた。訃報を聞いた日蓮は「夢か幻か、いまだに判断がつきかねます」「本当のこととも思えず、励ましの言葉も書きようがない」と思いを綴った（上野殿御書、御書一五六七ページ、趣意）。節目、節目に、その母親に手紙を送り続けた。そして数カ月後、「潮の満ち引きがなくなる時代はあっても、花は夏に実にならなくても、南無妙法蓮華経と唱える女性が、愛しく思う子に会えないということはない」と励ましている(上野尼御前御返事、同一五七六ジペー、趣意)。

悲しみにくれる彼女の胸中を思い、池田はこう語っている。

「……〝信心しているのに何だ〟と、まわりから言われたかもしれない。三障四魔との戦いである。なま身の人間ゆえに、倒れることもあろう。その人の宿命的な寿命もある。かりに倒れても、永遠の生命のうえから、必ず幸福のほうへ、成仏のほうへと、本人も一家も蘇生していく。これが妙法である。……母は〝厳寒の冬〟に耐え、一家の、そして同志の『希望の花』となった。『喜びの花』を咲かせた」(『池田大作全集』第八十四巻)

＊

池田が福井県を訪れるたびに、口にしてきた思い出がある。

「あの日、敦賀駅に集まってくれた人はいますか?」

あの日――一九六〇年(昭和三十五年)二月七日。池田の日記には〈夜行列車にて、京都出発。途中、敦賀駅等で、会員多数が迎えてくれる〉とある。

第三代会長に就任する直前だった。この前後五日間で静岡、京都、石川を回っている。七日の二十三時五十分に京都駅を出た急行「日本海」は、深夜二時半、敦賀駅に滑り込んだ。プラットホームに五十人ほどの学会員が集まっていた。

〈停車時間は六、七分。私は、すぐにも皆の前に飛び出して、声をかけたかった。肩を抱いて励ましたかった。しかし、多くの乗客はすでに眠っていた。時間が時間である。常識は守らねばならぬ。私は、断腸の思いで、列車の席に止まり、皆に自宅に帰っていただくよう同行の幹部に伝えてもらった〉(池田のエッセー、『池田大作全集』第一三〇巻)

彼らのことを、池田は忘れなかった。先ほど触れた武生市体育館の会合では、この「昭和三十五年の冬、敦賀駅に集まった人」にも声をかけ、ヨーロッパの絵はがきを贈っている。「私の母は、生後数カ月だった私をおぶって敦賀駅に行ったそうです」(辻栄子)。

この冬、静岡で、京都で、石川で、〝プラットホームの出会い〟が相次いだ。二十三歳の小泉博が池田と会ったのは浜松駅のプラットホームだった。「静岡で会合があった翌日、先生は京都に向かわれたのですが、浜松駅で列車の乗り換えがあったんです」。

乗り換えまでの二十分少しの間、池田はプラットホームに集まった人々に「今日は青年の話を聞こう」と言った。そのころ小泉は兄の研磨業を手伝っていたが、兄が体調を崩し、苦しい状況が続いていた。「先生は『生活が大事だ。人の二倍、三倍と仕事をするんだ。学会活動は今の三分の一になってもいいからね』と言われ、私は仕事に全力を注ぎました」。

やがて本田技研から大口の受注が入り、業績を盛り返した。

五人きょうだいの真ん中に生まれた。「昭和二十九年にお袋が中風で寝たきりになって、医者に見放されました。たまたま治療に来てくれたマッサージ師さんから折伏されたんです。

親父とそろって信心を始めました。私は高校二年生でしたが、あまり関心がなかった」。

両親が夫婦げんかばかりの毎日から、そろって正座するようになったことに驚いた。半年で母親が全快し、さらに驚いた。「お袋から『青年部の皆さんが、がんばっているよ』と言われて、座談会に行ってみました」。体験談に心を惹かれて、題目をあげるようになった。

博は中学の時、陸上競技の一一〇メートルハードル走で県記録を出した有望株だった。浜松商業高校に進んだ。同世代が三人も東京オリンピックに出たほどの名門校だが、体をこわしてしまい、マネジャーに回った。両親が創価学会に入ったのは、ちょうどそのころだった。

高校生との約束

「今となっては信じてもらえないんだけど、子どものころは無口で、人と話すのがイヤだったんですよ」。八十一歳になった小泉博は、そう言ってニコニコと笑う。

信心を始めた翌年、浜松の地区総会に出席した戸田城聖（創価学会第二代会長）の話を聞く機会があった。

「『〝物乞いのような信心〟はするなよ』という一言が強烈に印象に残りました。『御本尊に何かしてくれ、してくれと、ものをもらうような信心はいかんぞ』と」

池田が冤罪で捕らわれ、出獄した際の「大阪大会」にも、住み込みの職場から一〇〇〇円

浜松の幹部会で合唱する高等部のメンバー（1969年10月）。池田は出演者たちに「自分より多くの苦境にある 友のことを忘れず 自らの胸中に 勇気を振り起こしながら 今日も戦ってくれ給え」など数多くの言葉を書き贈った。のちに池田は彼ら〝五巻グループ〟を「飛翔グループ」と命名した ©Seikyo Shimbun

を前借りして夜行列車で駆けつけた。戸田城聖の「原水爆禁止宣言」も自分の耳で聞いた。

浜松総合本部の高等部長に任命されたのは三十歳の時だった。磐田、袋井、掛川、湖西を含む、大井川以西の広大な地域である。一軒ずつ高校生の家を回り始めた。

ある時、高校二年の田中通晴から「東京の会合で池田先生にお会いした。『浜松に来てください』と申し上げたら『わかった。行くよ』と言われた」と聞かされた。驚いて壮年、婦人の幹部に伝えたが、皆、半信半疑である。

「田中くんから話を聞いたのは昭和四十四年の九月でした。そして翌月、本当に先生が浜松に来られることになりました」（小泉博）

組織をあげて準備が進むなか、高等部員たちも連日のように集まった。「私たちでお迎えしよう」とオリジナルの歌をつくり、船越公園で練習を重ねた。

　市の体育館で会合が行われたのは十月十三日だった（浜松総合本部幹部会）。池田の席のすぐ横で、六十人近い高校生がオリジナルの歌を歌った。だが、数千人もの参加者を初めて目にした彼らは、緊張しすぎて音程（おんてい）もリズムも外してしまう。

「みんな、勉強が忙（いそが）しいからなあ」

　池田は落ち込んでいる高校生たちに声をかけた。そして、全員に「きのう、できたばかり」だという小説『人間革命』の第五巻を贈った。体育館に大きな拍手が起こったが、励ましはそこで終わらなかった。

　――男子は大学に合格した時、女子は高校を卒業した時、私のところにその五巻を持ってきてほしい。その時、全員にお祝いの言葉を書いてさしあげたい――

　その場にいた誰もが、想像もしていない〝約束〟だった。

　創価学会に「高等部」が誕生した当時、日本の大学進学率は男子が二十パーセント弱、女子はわずか四パーセントにも満たなかった（昭和三十八年度）。そもそも、中学から高校に進まない人の数が、今よりはるかに多い時代である。

　その日、小泉博は場内整理の担当だった。何度も練習してきた合唱がうまくいかず、ハラハラしながら壇上（だんじょう）のやりとりを見守っていた。

「全員に本をいただくなんて思ってもいませんでした。しかも全員に揮毫（きごう）されると聞いて、正直に申し上げると、えらいことになったと思いました。約六十人、高校二年から中学三年まで、通っている学校も学年も違う。そもそも無事に卒業できるのか。大学に受かるのか。成績の良し悪しも当然あるし、家庭の状況もそれぞれ違います。なかには高校ではなく職業訓練校に通っている男子もいました。そのままだと大学に進学できません。

数年がかりで、一人も残らず先生の揮毫を届ける。しかも、それぞれの大学入学、高校卒業のタイミングを逃さず……。あの瞬間から、そのことで頭がいっぱいになりました」

会合は無事に終わった。池田が会場を後にした。そこから高等部の担当者たちの闘いが始まった。

信頼されないと安心されない

〈私は現実生活の主体者として　常に自己自身を再発見しながら　旺盛に進む〉（清水和歳宛）

〈清楚　生気〉（田中寿代宛）

〈力と希望　快活と信念〉（杉山重義宛）

〈今日も堂々と　生命の道を　私は進む〉（掛川加衣宛）

小泉博は高等部長の人事を伝えられた時、まず不安が先立ったという。

「私は大学に行けなかったから。せっかく創価大学に通信教育ができたから、ぜひ行きたいと思ったが、結局叶わなかった。そんな男に高校生の面倒をみられるのか、自信がなくてね……。ただ、私自身が信心を始めたのが高校生の時だった。だから高校生の時代に『信じる』ことの重要さや、人生の本当の素晴らしさに気づいてほしい。そのお手伝いだったら自分にもできると思いました」

博たちは、あらためて高等部員たちの家を一軒ずつ回り、会合当日のもようを丁寧に話し、家庭の事情を尋ねた。

「未来部（小・中学、高校生のメンバー）の担当者は、ご両親や保護者の方と信頼を築けるかがとても重要です。信頼されないと安心されないですから」

高校二年の女子が卒業したのは七一年（昭和四十六年）三月。男子の大学入学は四月。池田との約束を果たす〝五巻の往復〟が始まった。

〈己れの新しき青春像を　私はつくり　生きぬく〉（松山操宛）
〈今日も自らに挑戦　今日も苦労の連続　しかし僕には限りなき栄光が　待っているから楽しいと　確信して進んでくれ給え〉（原田光能宛）
〈尊きもの　それは蓮華の花を　胸にもてるもの〉（阿部陽子宛）

〈君の十年先を僕は見ている　君も僕の十年先を見てくれ給えと　今日も涙とともに進め〉（野末恵介宛）

〈人々は無気力の青春　私は　民衆運動の青春〉（藤波洋子宛）

〈二十年先を夢見ながら　今日の苦斗を見事に勝ちぬいてくれ給えと　ただ僕は祈るのみだ〉（大橋清隆宛）

「皆さんの自宅にある『人間革命』の五巻を預かり、それぞれの名前などを書いたメモを挟み、東京の学会本部まで持っていきました。戻ってきた本は、男子は私が、女子は女子高等部の担当者から手渡していただきました。東京にも大阪にも直接届けましたが、一人だけ四国に引っ越したメンバーがいて、彼だけはご両親に託しました」（小泉博）

〈英智　優美　快適な動作〉（久米光枝宛）

〈君が社会的にも　偉くなりゆくことが　広宣流布であることを　忘れまい〉（石川藤吉宛）

〈平和と自由と進歩と創造の実践に　私は今日　私らしく　勇敢に進む〉（山本里美宛）

〈汗と涙を流し戦ったものこそが　未来における栄光の人生と　世の人びとの指導者たるの　資格あることを忘れまい〉（川崎輝夫宛）

〈忍耐の今日　希望の明日　そこに栄光の未来が　生れる〉（合川真理子宛）

〈今日も粘りある一日を　今日も余裕ある人生を〉

本当に、この本に揮毫されて戻ってくるのだろうか。池田先生は忙しいから、無理なのではないか。不安に思う人もいた。池田が高校生たちと約束を交わした一九六九年（昭和四十四年）の後半から、翌七〇年（同四十五年）にかけて――創価学会が社会的に激しく批判された「言論出版問題」の渦中だった。

〈当時は、外にあっては〝七〇年安保〟をはさんでの学生運動の世界的盛り上がりと、その急速な衰退、内にあっては、いわゆる〝言論問題〟の渦中にあり、内外ともに多事多難なあわただしい時節であった。加えて、池田名誉会長自身、体調を崩して、少し無理をすると四〇度近い高熱を発するという悪コンディションにあった〉（『池田大作全集』第十九巻「後記」）

池田は体調の悪い時も、地方指導が続いた時も、淡々と〝五巻の往復〟を続けた。

〈誰れ人が去り　誰人が倒れても　僕は毅然として目的に進みゆく勇士でありたい〉（高柳忠雄宛）

〈太陽と共に勤行　賞月と共に座談会の修業で　栄光の人間勝利を〉（斎藤淑乃宛）

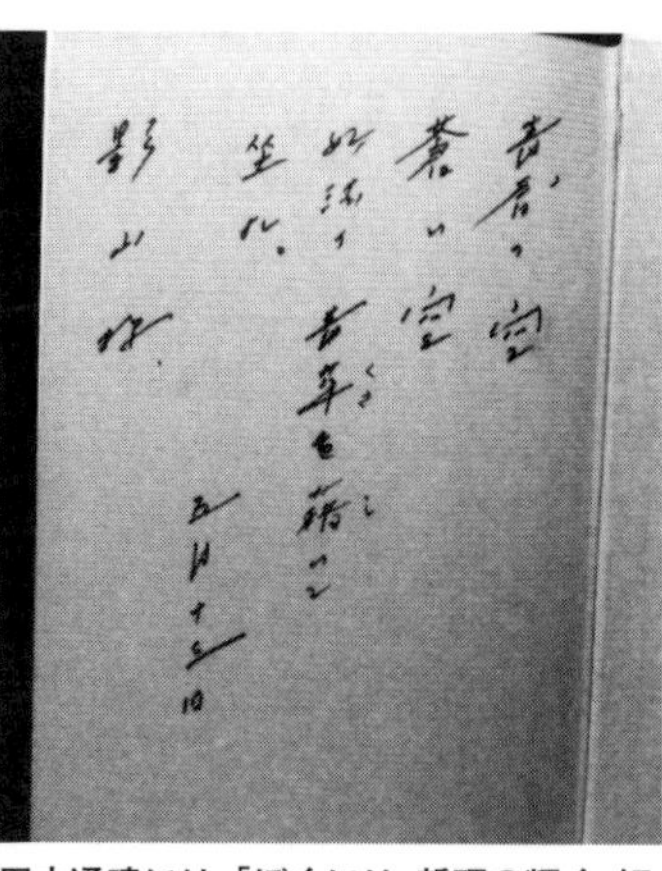

浜松で合唱した高等部員たちへの献辞。田中通晴には「ぼくには 哲理の輝く 短剣がある」、影山恵美子には「青春の空 蒼（あお）い空 妙法の青草を 籍（し）いて坐（すわ）れ」と記した

〈今日も粘りある一日を 今日も余裕ある人生を そして今日も 希望をつくる一日を〉（橋本きよみ宛）

〈私の前途の人生には 楽観も悲観もない ただ人間の目的に向かって 着実に進む〉（梅川正雄宛）

〈水の流れる如く 今日も明日も 信仰と社会に逞しく挑戦しゆくことだ〉（森洋子宛）

彼らはいつしか〝五巻グループ〟と呼ばれるようになった。そのきっかけをつくった田中通晴。

「浜松の会合で先生にご挨拶した時、『創価大学で会おう』と言われました。ちょうど私が高校を卒業する年に、創価大学が開学しました」。

一九七一年（昭和四十六年）、通晴は創価大学に一期生として入学した。彼の「五巻」には、

〈ぼくには 哲理の輝く 短剣がある〉

と記されている。通晴は地元の銀行に就職し、

支店長を務めた。
　大学受験に失敗したある男子には、
〈今は悠々たる浪人であり　やがては見事なる人生の達人たれ〉
　という揮毫が届いた。
　影山恵美子も浪人した一人である。池田から戻ってきた五巻には、
〈青春の空　蒼い空　妙法の青草を　籍いて坐れ〉
　と書かれていた。「受験に失敗してかなり落ち込んでいましたが、先生から届いた揮毫を読んで心が晴れたことを覚えています。まるで大草原にいるような気持ちになったんです」。翌年、千葉大学の教育学部に合格。小学校教師として三十二年間、勤め上げた。

十年先の君の姿を僕は信ずる

『人間革命』の五巻には〈大人は駄目だ。頼みとすべきは、青年しかない〉という戸田城聖の思いが記されている（聖教ワイド文庫、第二版一一二ページ）。

〈戦時中の弾圧の時、年配者の恐るべき退転、また戦後の再建から今日までの間に、長い年月、苦楽を共にしてきた同志たちの、足並みそろえての脱落。人のよい彼も、大人たちには煮え湯

を飲まされた思いで、ほとほと懲りに懲りていたのであろう〉（同一一一ページ）
　創価学会の第二代会長になった戸田が、青年部をつくり、御書をつくり、折伏教典をつくり、組織を整えていく布石が綴られている。〝五巻グループ〟のメンバーはこの一冊を座右の書として、次々と社会に巣立っていった。

〈幸福大学を美事に卆業するために　今日も晴れやかな　人間革命の一日であれ〉（藤本政子宛）
〈今日を苦しみ　明日を勝利に　今年を苦しみ　未来を栄光にとの　本因妙の姿勢に立つ　人生であってくれ給え〉（池谷啓宛）
〈微笑　笑顔　わたしの人生に　限界はない〉（鍬竹みどり宛）
〈次の学会を頼む　次の広布を頼む　次の時代の一切を頼みたい　君の一日も早く大人材に　育つことを祈る〉（川合秀治宛）
〈個性　自分らしい個性が　今日も進む〉（今野静代宛）
〈昼も夜もの人生　健康だけはお大事に　ともあれ誰人よりも誇り高く　使命は生きゆる　人間革命の模範の勇士たれ〉（大場教史宛）
〈私は生きぬく　探求し　かつ進歩して　進む〉（早川律子宛）

　美和陽子は、池田との出会いの翌年、兄を急病で亡くした。

「高校卒業の時、私が先生からいただいたのは〈私は今日も進む　自主的に前進の目標を　強く構築をしながら〉という言葉でした。『男子は大学へ』という指導でしたが、私も夜学で地元の商科短大に入りました。

十年ほど前にうつ病になって、どうにも動けない時期がありました。足踏みしてもいいんだ、一歩でも前に踏みだそう……そういうふうにとらえて、どん底からは回復しました。あの言葉が支えてくれました。今も私の原点です」

〈社会は無限に続く倦怠　我は無限に続く青春〉（鈴木陽子宛）

〈わが晴れやかな後輩に栄光あれと私は祈りつづけよう〉（後藤明郭宛）

〈人間の原点　信仰の原点〉（杉山千波宛）

〈所詮　団結は力なりということを知っている　私は、いかなる時代、目的、境遇にあっても、常に団結の要となって一生を送りたい〉（岡本静夫宛）

〈生涯　幸福のための　若き哲学者たれ〉（井口千鶴子宛）

ときには毎月のように池田のもとに「五巻」が届くこともあった。「次に上京した時に、前回届けた分のご揮毫を受け取るのですが、どんなにスケジュールが厳しい時でも、先生のご揮毫が遅れたことはただの一度もありませんでした。私は何よりもそのことに感動しました」

（小泉博）。

〈苦しくとも胸中晴れやかな学会っ子は 最後は断じてまけてはならない〉（小柳義彦宛）

〈私には決して絶望がない 無限に開く信仰があるからだ〉（田渕たま子宛）

〈来年の君を僕は見たい 十年先の君の姿を僕は信ずる 君よ自信に満ちて 今日も ただ君らしく励みゆくことだ〉（鈴木康之宛）

〈決して私は悲しむまい 決して私は嘆くまい 私には 私しか持っていない宝を 持っているからである〉（村井信子宛）

村松三枝子は今、浜松の地で未来部を担当している。長年、中学校の教師を務めた。「法政大学に合格した時、先生に〈進学本当にお目出とう 健康と幸福と福運ある未来を 私は唯々祈り待っている〉と書いていただきました。高校時代に先輩から、かつて先生が言われた〝もし諸君が成長しなかったら、諸君が悪いのではなく、私のほうに福運がないんだ〟という一言を聞いたことが忘れられません」。

三度、大病を患い、体にメスを入れた。「卵巣嚢腫と子宮頸がん、顔が痙攣してしまう病気もありました」。四十代は子どもの思春期も重なって「嵐のような毎日でした」と振り返る。

三人の子を育て上げた。

〈少しづつ今日も御書を　そして　教養ある本を読みゆけば　生涯の持続が　誰人よりも幸福への　大学者になること　間違いない〉（庄山とく子宛）
〈君よ　昼も夜も誰人よりも　晴れやかに誇り高く　今日も送ってくれ給え〉（木山健二宛）
〈華やかな社会に紛動されることなく　社会の中に入りながら　自己の存在を輝くばかりに　福運を積み重ねゆくことだ〉（小柳幸江宛）
〈生涯にわたって自分を　決して卑下してはならない　世の人びとの中にあって　どのような人が立派な人間かと　常に胸中に語りながら進むことだ〉（中津川浩三宛）
〈卒業お目出とう。次は信心と社会と　人生の卒業のために〉（照井佐都美宛）

〝五巻グループ〟の最後の一人は松田治だった。「家族が学会に入ったきっかけは、私が幼稚園の時に急性脳性小児麻痺になったことです。両親が信心を始めてから一週間ほどで、なんともなくなったらしい。医者もびっくりしたそうです」。

「中学の進路相談の時、担任から『お前が行ける高校はないぞ』と言われて、教師への反発もあって高校に行かなかった。でも高等部の会合が楽しかったんですよね。それで信心を本気で始めました」

当時、治は職業訓練校に通っていた。定時制の浜松工業高校に入り直し、地元企業に勤めな

東京・小平市に建設中の創価学園を視察する池田（1967年9月）。のちに「真理を求め、価値を創造する、英知と情熱の人たれ」など五つの校訓が定められた ©Seikyo Shimbun

がら四年通った。その後、昼間は実家の鉄工所で働きながら静岡大学の二部で学んだ。

〈君の生涯にわたる　人間革命の歴史が　光り輝くことを祈りつつ〉

池田からの揮毫の日付は一九七四年（昭和四十九年）の十月二十二日。体育館で約束を交わした日から、五年が経っていた。

＊

言論出版問題の嵐を挟むようにして、池田は六八年（同四十三年）に創価学園を、七一年（同四十六年）に創価大学を創立した。

池田にとって「教育」とは何か。

池田にとって「未来」とは何か。

子どもの眼、親の眼、未来部を担当してきた人たちの眼を通して、知られざる歴史をひもとく。

第2章 逆境こそ「新しい夜明け」——中部

昭和四十五年の「言論出版問題」の渦中。池田は高校生たちに語っている。

「ずっと虚像でかためてきたところは、これほどの嵐にあえばとっくに崩れている。しかし実像で出来上がっているのは壊れない」

「どんな苦しいことがあっても、実像の人になりなさい」

言論出版問題で最も激しく攻撃された地が、中部だった。しかし、ここから池田の薫陶を受けた未来の人が立ち上がっていく。

厳寒を耐えた大地に、真っ白の生命を咲かせる、雪柳の花のように。

三重で創価学会の総県総主事を務める中村惇は、ある光景が忘れられないという。「池田先生が三重に来られていた時、一人の壮年の方が、ある青年を『○○くん』と呼んだんです。その時、そばにおられた先生が『伸びゆく青年に〝くん〟づけはよくないよ。伸びゆく青年には〝さん〟づけでいくんだ』と言われました」。「それ以来、私もどんな方にも〝さん〟づけにしています」と中村は語る。ある時、池田大作から「学会員の方を見たら、礼拝する気持ちで皆さんに接して、尊敬していくんだ」と、リーダーのあり方を厳しく教わったこともある。

中学三年の時、熊本で創価学会にめぐりあった。「熊本市内の狭い長屋に住んでいました。昭和三十二年、まず父が学会に入り、家族が続きました。父は洋服の仕立屋で、根気強く通ってくださった戦友から仏法の話を聞きました。その人は陸軍の、フィリピンでの戦友だったとしかわかりません。父の部隊は戦病死した方が多かったそうですが、父はその時のことはほとんど話しませんでした。両親はのちに草創期の支部長、支部婦人部長をしました」。

中村は熊本の商業高校を卒業した後、就職先の転勤で大阪、東京などを回った。名古屋に住んでいた二十六歳の時、中部方面の高等部長になる。

「君たちの何十倍も思い、考えている」

未来部（小・中学、高校生のグループ）の担当者として汗を流す中、印象的な出会いがあった。場所は名古屋市の愛知県体育館だった（一九六九年二月十一日、中部幹部会）。「あの日、未来部の代表が先生の席のすぐそばで合唱を披露しました。会合に向けて、名城公園や鶴舞公園、個人会館をお借りして練習してきました。合唱の後、先生は二人の高校生に『靴を買ってあげよう』と言われたのです」（中村惇）。

池田が「一人はブカブカの革靴を履いていた。あれはお父さんのかな。もう一人はズック靴だったね」と話していたと、中村は後になって聞いた。

「二人のうちの一人は定時制高校に通っていたメンバーで、履いていたのは運動靴でした。もう一人は『あの日、履いていた革靴は私の靴だったんですが、確かにいいものではなかったし、履き慣れてもいませんでした』と苦笑いしながら話していました。まさかそんな細かいところまで先生が心を砕いておられるとは想像できませんでした」（中村惇）

どの地域に限らず、こうした池田からの指摘に驚いたという人は多い。東京・立川市の会館に来ていた数十人の中等部員たちが急遽、創価大学での集いに招待されたことがある（一九八三年一月十五日）。

未来部の担当者は「中学生が全員、学会本部で用意したバスに乗って、立川から八王子にある創大まで来ること」、そして「帰りも皆を創大から八王子駅までバスで送り届けること」を池田に伝えた。

すると池田は「八王子駅から先は大丈夫か？」と尋ねた。何のことかわからず黙っている担当者に、池田はこう言った。

「メンバーの中には、お母さんから、立川文化会館までの交通費しかもらっていない人もいるだろう。それを八王子駅で降ろしたら、困る人がいるんじゃないか？」

運営に忙殺されていた担当者たちは、そこまで考えが及んでいなかった。子どもたち全員がとどこおりなく家に帰れるよう、手を打つことができた。この時、池田は未来部の担当者たちに「指導者というものは細かなところにまで心を配っていくものなんだよ。私は、君たちが中等部員のことを思っている、その何倍も、何十倍も思い、考えているんだよ」と語っている。

＊

名古屋で池田から靴の励ましを受けた一人は、その後、本格的に大学受験に取り組み始めた。国公立を目指し、二浪して苦しんだ。一度目の受験の時、まだ創価大学はなかった。二浪が決まった後、私立だが創価大学に行きたいと思うようになった。「両親は『創価大学なら、どんなに苦労しても行かせてあげるから』と後押ししてくれました。今、思い出しても感謝の気持ちがあふれてきます」。

土壇場で踏ん張っていた秋ごろ、出版されたばかりの池田の本を手に取った（『私の人生随想』祥伝社）。

創価大学のキャンパスに立つ「天使と印刷工」のブロンズ像（フランスの彫刻家アレクサンドル・ファルギエール作）。台座に「英知を磨くは何のため　君よ　それを忘るるな」と刻まれている（東京・八王子市）©Seikyo Shimbun

「大阪新聞」や「静岡新聞」などに連載したエッセー集である。

「北海タイムス」に載った一文が、目に留まった。

〈……私は、多くの学生を知っている。

幾度か浪人をしながら受験して初志を貫き、今、社会の第一線にあって、大きい活躍をしている人を何人も知っている。その人たちは、異口同音に快活に言う。

「僕も二回東大に落ちたよ」「大学時代は二年落第してしまったよ」

今になって語る彼らには、それはもはや、懐かしさと思い出の歴史であった。そこには、なんの翳りもなく、栄光の人生にとって深い体験と土台にこそなれ、マイナスの何ものもないようだ。

私は、四月二日に、私の関係する大学に、次のような言葉を贈らせてもらった。

〝英知を磨くは何のため、君よ、それを忘るるな〟

〝労苦と使命のなかにのみ、人生の価値は生まれる〟〉（『池田大作全集』第十九巻）

「この文章は、ぼくのために書かれた」。そう感じたという。翌春、創価大学に進んだ。「もともとは自分中心の性格だった」と振り返る。「浪人生活を経たことで、人生には思うようにならないことがあり、信心と努力のどちらも必要だと知りました。そして、相手の立場に立つ大切さを学びました」。

地元の高等部時代の担当者は、高校を卒業した後も何かあるたびに励ましてくれた。「こういう人になりたい」と思える先輩に恵まれた。

池田は後年、名古屋で目にした見事な雪柳の花に寄せて、子どもたちに次のようなエッセーを贈っている。

創価学会の創立60周年を記念する中部の集いに出席した池田。「（戸田先生は）最後の最後まで『若い人は勉強せよ。勉強しない者は私の弟子ではない』と厳しく言われていた。仏法は、決して宗教のための宗教ではない。……だれよりも学び、探求し、一流の見識と人格を磨かなければ使命は果たせない。勉強しなければ、社会、世界に盲目（もうもく）となる。それでは社会に開いた『広宣流布』はできない。仏法の深さもわからない」と訴えた（1990年10月、名古屋市）

〈成績は中くらいでもいい、人間が大であればいい。頭がいいとか悪いとか、成績だけで分かるものじゃないし、生きる上で大したことではない。

ただ、自分が「不思議だ」と思う疑問を大事に追求することだ。そのことを考えて、考えて、考え抜くことだ。

そして、いざという時、真理と正義のためなら、自分を犠牲にできる人になれ。そんな人が一人でも増えた分だけ、この世は美しくなる〉（『池田SGI会長指導選集 幸福と平和を創る智慧 第二部［下］』一〇五ページ）

忘れられぬ新聞

創価大学の留学生寮で管理者をしている安江俊久も、名古屋での励ましの場に居合わせた一人である。

「私が担当している寮には十四カ国の留学生がいます。創大全体だと五十数カ国です。SGI（創価学会インタナショナル）メンバーもいれば、ヒンズー教徒もイスラム教徒もいるようです。創大では内戦で苦しんでいるシリアからの留学生も学んでいます。皆、大事な学生です」

俊久は子ども時代を「貧乏で、給食費やPTAのお金を払う日は、子ども心にもイヤでしたね」と振り返る。

母がしていたマッチのラベル貼りの内職を手伝った。父の仕事は理髪材料の仕入れや小売りだった。愛知県体育館で池田と会った時は高校一年だった。最も印象に残ったのは、会合が終わった直後の出来事である。

退場する際、合唱した高校生たちの目の前で池田は立ち止まった。「わかってるよ。何も言わないでいいから。ただ、君たちの成長を待っているんだ」。

そう言い残し、池田は壇上脇へ去った。俊久は「時代は〝七〇年安保〟でした。高校も揺れていました。アジ演説だったり、ビラ配りだったり、教室に机を積んでバリケードを作ったり。近くにはデモをした高校もありました」と振り返る。

「権力や教師への反感、大人全体に対する不信感が当時のトレンド（流行）で、そんな中での出会いでした。あの日、一番心に響いたのは『親以外に、自分の成長を待っていてくれる人がいる』という事実でした。私にとって師匠とは常に『待っている人』『期待してくれる人』です。寮の管理者としてもこの心を忘れず学生に接するよう心がけています。

だからあの出会いから一年後の、昭和四十五年三月一日付の中日新聞の記事は忘れられないのです」

〈池田創価学会会長喚問せよ〉――その日、俊久の目に飛び込んできたのは、一面トップに載った凸版見出しである。愛知選出の国会議員の発言だった。

＊

一九六七年（昭和四十二年）、公明党は衆議院で二十五議席を獲得し、六九年十二月には四十七まで議席を伸ばす（第三十二回衆院選）。社会党に次ぐ野党第二党となり、民社党（三十一議席）や共産党（十四議席）はその後塵を拝した。「言論出版問題」は、この時に起きた。

政治評論家の藤原弘達が『創価学会を斬る』という本を出した。まともな取材もなく、学会員を一方的に侮辱するものだった。

それは衆院選の直前に出版され、〈選挙戦における秘密兵器の効果を狙ったと思われてもいたしかたのない時点で刊行されている。これは重大な問題である〉と批判された（大宅壮一、「現代」一九七〇年三月号）。

創価学会と公明党は藤原に「今まであまりに事実に基づいていない記述が多すぎた。客観的に正確な評価をしてほしい」「選挙妨害の意図があるのではないか」と申し入れた。

きちんと取材してほしい。そのための資料も提供するし、総本山も案内する――そうした要望を、藤原は無断録音して週刊誌に売り込み、「言論・出版の自由を妨害された」と騒ぎ立てたのである。

中日新聞・東京新聞の記者として野党担当だった足立利昭は、社会党と民社党の思惑を分析し〈言論問題は〝公明党追い落とし作戦〟をねる両党にとってはまさに絶好の材料だったわけだ〉と記している（『新生する公明党』大和書房）。

「虚像」は崩れる
「実像の人」に育て

一度焚きつけられた政治利用の火は、人々が飽きるまで燃え盛った。

〈集中砲火を浴びる創価学会を見て、多くの識者たちは、〝これだけ、あらゆる次元の総攻撃を受けた学会は、必ず壊滅するであろう〟と予測したようだ〉（『新・人間革命』第十四巻「烈風」の章）。とくに辛酸をなめた地域が中部だった。池田はこう綴っている。

〈……学会が支援する公明党が躍進するにつれ、危機感を抱いた政界や宗教界から、数限りない非難・中傷が沸騰していった。

なかでも中部は、最も辛く苦しい歳月を歩んだ。

思えば、私の〝会長就任十周年〟にあたる一九七〇年（昭和四十五年）ごろも、そうであった。

愛知県体育館で行われた中部幹部会。合唱する高等部員を池田が見守る（1969年2月、名古屋市）©Seikyo Shimbun

当時、学会を狙い撃ちした悪質な中傷本に対する、一部のメンバーの抗議行動が、思いもよらぬ言論・出版妨害事件とされたのである。

このいわゆる「言論問題」を発端に、学会を反社会的団体として抹殺せんとするが如き、囂々たる批判の嵐が吹き荒れたのだ〉（『池田大作全集』第一三五巻）

また、スピーチでも触れている（一九九〇年十月十日、第五回中部総会）。

「……中部の友は、これまで、たいへんな苦労をしてこられた。どこよりも、つらい坂を越えてこられた。あの伊勢湾台風。そして、学会員に対する〝墓地埋葬拒否〟事件。三重では裁判でも争われた。勝利の結果を見るまでもなく、人道上、また宗教者として、理不尽きわまる無慈悲の行為であった。

さらに、いわゆる『言論問題』でもっとも激われた。
しく攻撃されたのが中部であった。陰湿な策謀と、心なきいやがらせ、揺さぶりが集中的に行われた。

幸福になるために信仰したのに、どうして、これほどまでに苦しめられなくてはならないのか。ある意味で、そう思われても無理からぬ日々が続いたのであった。

しかし、いちばん苦労した人が、いちばん幸福になる。これが妙法である。いちばん苦難と戦った人が、いちばん境涯を開いていく。……つねに、皆さまは勇敢であった。恐れなかった。そして勝った」（同全集、第七十五巻）

七〇年（同四五年）五月三日に行われた本部総会で、創価学会は新しい一歩を踏み出すことになる。言論問題について池田は「猛省」を述べ、学会と党の組織的な分離を明確にした。のちに〈学会は、若さゆえに、批判に対して、あまりにも敏感すぎたのかもしれない〉と述懐している（『新・人間革命』第十四巻「烈風」の章）。

この時、池田は四十二歳。最大の逆境だった。講演の中で池田は、未来を次の世代に託した。このひと月ほど前、高校生たちとの懇談の場で語っている。

「学会は今、世の中の嵐の中で、もまれている。しかし、君たちには傷をつけたくない。今は青春を、言語に尽くせない友情の美しさで過ごしなさい」

「ずっと虚像でかためてきたところは、これほどの嵐にあえばとっくに崩れている。しかし実像で出来上がっているのは壊れない。本物なんです。本物が真実です」

創価大学に入学する留学生（2017年4月、東京・八王子市）。**61カ国・地域の222大学と学術交流協定を結ぶ**（2019年10月末現在）**同大学には、現在55カ国・地域から約700人の留学生が学んでいる** ©Seikyo Shimbun

「君たちはすくすくとお題目をあげ勉強に励んでください」「私も傷だらけだ。しかし何とか攻防戦をしていく。どんな苦しいことがあっても、実像の人になりなさい」

五月三日の本部総会には、言論問題に揺れた中部からも、その後の中部創価学会を支えることになる多くの人々が参加した。

中部婦人部総合長の藤野和子。本部総会に参加した時、二十歳だった。「当時の思いは今でも鮮明に覚えています。あの日から、私たち中部の学会員は薄紙を一枚ずつ剝ぐようにして、一つ一つの課題を乗り越え、悔しさを乗り越えてきました」。

藤野は女子部時代に女子中等部を担当し、中部未来会の場では、池田が子どもたちを「一個の人格者」として扱い、全力で励ます姿を目の当たりにした。その後、中部婦人部のリーダーの一人として活躍していく。

この仏法を、どんなに悪口を言われても正しく伝える人に

現在、中部未来本部長を務める倉井宏明は十六歳だった。

「じつは私の座った席からは、マスコミの取材陣が多くて、テレビカメラや記者の背中で先生の姿がよく見えなかったんです。姿は見えなかったけれども、先生が最後のほうに『二十一世紀』について語られたことが印象に残っています。『ああ、私たちの話だ』と」

――今の十代の人たちが二十代になり、二十代の人たちが三十代になる十年後に思いをはせる時、創価学会の社会に果たす役割は、ますます大きいものがあると、私は内外の識者の方々に強く訴えてやまぬものであります。

――二十一世紀まであと三十年のこの一九七〇年という年を、この壮大な宗教運動の新しい夜明けの日としていきたい。

これまではその序分であり、準備であった。本当の偉大な仏法の開花はこれからであり……

もはや、全体主義の道でもない。無秩序の退廃の道も選ぶべきではない。宗教を土壌とした人

間の自覚、英知の涌現しか現代文明をリードするものは絶対にないと申し残したい。

――決して独善でもなければ、慢心でもない。新しい世紀を築く責任を痛感すれば、そう叫ばざるをえないのであります――


言論問題で苦しんだ中部では、その苦しみを胸に刻んだ青年たちが数多く育った。今、中部方面の未来本部では〝二十一世紀型の社会問題〟に対する取り組みを模索している。

孤立しがちな若いお母さんのために――二〇〇〇年(平成十二年)、名古屋の中部平和会館に「ぽかぽか広場」が常設された。手作りおもちゃコーナーなどを用意し、親子でくつろげる場である。好評を博し、今は移動型の「ミニぽか広場」が各地で開かれている。

学校になじめない子どものために――一三年(同二十五年)、半田市にオープンした半田文化会館では、「未来部育成プラザ」を毎週開いている。会館を〝子どもが行きたくなる居場所〟と位置づけ、学習支援なども行い、勉強の苦手な子や不登校の子も足を運ぶ。中部の他地域でもこのプラザを開けるよう、研修会も行っている。

毎年秋、創価学会では小・中学、高校生などが四人一組のチームで英会話の寸劇を演じる「E-1グランプリ」を行っている。これも、中部方面で始まった取り組みが、全国規模に広がったものである。

中部総合長の松原勉は〝五月三日の本部総会〟に初代中部学生部長として参加した。二十三歳だった。

「誰もが必死の攻防戦の中にいました。私たちは座談会に行くたびに、どんな逆境の中でも折伏に挑む婦人部の方々の話を聞いては本物の信仰というものを教わりました。総会の当日は、なんとも表現できない、つらい思いをもって上京したのですが、日大講堂に入った瞬間、壇上に掲げられた『新生』という大きな文字が目に沁みました」

それからしばらくして、聖教新聞に池田のエッセーが載った。松原は、その短い文章が忘れられないという。

〈……一昨日は、中部の文化祭。名古屋城近くの愛知県体育館が開催場所であった。……とくに、創作劇〝信長は行く〟は圧巻。本当によかった。勝利、敗北の谷間を、つねに攀じ登る、中部の勇気と団結を見て、本当に嬉しかった〉（『池田大作全集』第二十二巻）

「勝利、敗北の谷間を、つねに攀じ登る中部……」。松原はこの一節を何度か繰り返し諳んじた。そして「私たちは、この言葉のとおりの歴史を歩んできました」と静かに語った。

このエッセーを書いた日――池田は名古屋にいた。一つの会合があった。「中部未来会」と呼ばれる、未来部メンバーの結成式である（一九七一年一月三十一日）。

＊

「言論出版問題」の渦中、小・中学生や高校生の代表が集まる「未来会」が各地に誕生した。東京がスタートを切り、一九七九年（昭和五十四年）までに全国で六十四グループ、二〇〇〇

創価大学で開催された第4回「未来部E－１グランプリ」の全国大会。応募総数8000作品から選抜された10チームが競い合った（2018年11月、東京・八王子市）
©Seikyo Shimbun

人を数え、池田はそのほとんどの結成式に足を運んだ。中部未来会の結成式では、一人ずつ全員に名前を尋ねている。

「あの日は前年三月一日付の中日新聞の紙面や、五月三日の本部総会での先生の話が思い出されて二重写し、三重写しになりました」（倉井宏明）

名古屋文化会館の一室で、池田は「未来に、誰よりも社会に貢献する光った人をつくるための未来会です」と位置づけ、「広宣流布」の意味について「この仏法を、どんなに悪口を言われても正しく伝える。勇敢に伝えていく。これは人間として、大臣よりも、大人気のプロ野球選手よりもすごい。どんな俳優や人気歌手よりも、校長先生よりも、百千億倍も偉い」と、子どもたちにわかりやすく語った。

「皆さんを五月三日の鼓笛祭（第一章で詳述）

に招待することを約束します」「新幹線に乗ったことのない人?」「東京へまだ来たことのない人?」

池田の呼びかけに笑顔が増える。結成式はやがて質問会になった。何本も手が挙がった。「中学生が、信心していない親戚の家に泊まった時や、修学旅行に行った時、勤行はどうすればいいでしょうか」という質問があった。

池田は「する必要はありません」と即答した。「目的が違うんですから。その時は楽しんでいらっしゃい。その時に勤行をしたらかえっておかしい。奇異な感じを抱かせる」。

また「朝、忙しい時は(勤行をせず)題目三唱でもいいよ」とつけ加えた。

一人ひとりが「創立者」である

「先生は私たちに対して、子どもに対する接し方ではなく、一人の人間として応じられました」。相場久恵はそう述懐する。

そのころ、池田が薦めていた『永遠の都』や『隊長ブーリバ』をはじめ、革命や歴史のロマンを描いた小説を何冊か読み、「女性の力が大きく働いている」と感じた。女性の力を世の中で発揮できれば、戦争は防げるのではないか――ふだんの思いを素直に池田にぶつけた。池田

中部の未来部（小・中学、高校生のグループ）**メンバーに声をかける池田。この日、第５回中部総会に出席した池田は〝みな幸福に、みな社会の勝利者に〟と語った**（1990年10月、名古屋市）©Seikyo Shimbun

が「その通りだ」と応じ、久恵が「そのためには、女子も大学に行くべきではないでしょうか」――そう続けた時、池田は「十人十色です」と答えた。「〝観念論〟はきらいです」「実践でいくんだ」とも言った。今と比べて、女子の大学進学率が低い時代である。

――男子には夜学でもいいから大学に行きなさいと言ってきました。女子は、大学に行ってもいいし、そうでない場合もある。無理しなくていいんだ。もしも私が君たちに大学に行くかどうか質問したら、そのつもりがなくても、うその決意をしてしまう人がいるかもしれない。そういうことを君たちにさせたくないんだ――池田は率直に思うところを語った。

この時、久恵の母の貞子は、創価学会の信仰に懐疑的だった。「私の父が学会に入った時から、母は反対の姿勢を貫いていました。私が高校二年の時、創価大学が開学したのですが、私が創大に行きたいと言った時も母は『創価の名のつく大学に行ったら就職や結婚に影響するから……』と難色を示して、賛成することはありませんでした」（相場久恵）。

久恵は母の貞子を説得し、なんとか創価大学に入学することになった。「入学式の参加は、父が譲り、母が参加しました」。この入学式が、貞子の人生を変えた。

*

池田はこの日、「創造的人間たれ」と題して講演した（一九七三年四月九日、第三回入学式）。

創価大学の開学から半世紀を経た今なお、理事長の田代康則が「創立七十五周年、一〇〇周年に向け、『創造的人間』を育成し、社会に送り出し続けるという使命が変わることはありません」（『創価大学50年の歴史』）と語っているように、いわば創大の原点ともいえる講演になった。

池田は「大学」の起源をひもとき、十二世紀のヨーロッパ、インド古代の仏教大学、そしてソクラテス、プラトンの「師弟間の対話」を論じた。

「人類のために、社会のために、無名の庶民の幸福のために、何をすべきか、何をすることができるのかという、この一点に対する思索、努力だけは、永久に忘れてはならない」

「私立大学とは、自主的な大学のことであり、いわば、皆でつくる大学なのであります。そこが、国立、公立の大学と違うところであります。

大学の淵源はいずこをみても、この私立大学から始まっている……皆さん方は、この創価大学を自分たちでつくり、自分たちで完成していく大学であるという認識をもっていただきたい」

――どうか一人ひとりが創立者であるという誉れと自覚をもってほしい――池田の訴えを直接聞いたこの日から、貞子は娘の学業を応援するようになり、夫である弘の信仰にも理解を示すようになった。

「母は創大の学生歌と学園寮歌が大好きで、よく口ずさむようになりました。自宅を学会員さんの座談会にも提供するようになり、のちに地元の地区副婦人部長も務めました」（相場久恵）

*

中部未来会には、二年前、名古屋で〝靴の励まし〟を受けたメンバーの弟も参加していた。

「兄は浪人中でした。そのことも話すと先生は『わかってるよ。浪人も人生にとってよい経験になる。大切なことだよ』と兄への伝言を預かりました」。

なかには、「私は質問会の最初に手を挙げたのですが、たくさん手を挙げる人がいたので、あとは手を挙げなかったんです」と振り返るメンバーもいる。「そうしたら先生から『君、さっき挙げたでしょう、一番後ろの君』と指されまして……」。

池田から「なんでもいいから言ってごらん」と促され、「外交官になりたいのですが、女性ではダメでしょうか？」と尋ねた。

「そんなことないよ。観念的ではいけないよ」と池田は答えた。「目標に向かってどれだけ努力しているかが大事なんだ」「桜梅桃李です。桜は桜、梅は梅。桜梅桃李でいくんだ」と励ました。

「ふだん漠然と思っていた気持ちが、咄嗟に口をついて出た質問だった」という。「あの後、大学は経済的に無理だけど、勉強だけは頑張ろうと思いました。私の兄と姉は大学に進めませんでした。その兄が、私が創価大学に受かった時、『俺が助けてやるから、創大に行け』と後押ししてくれて入学できたのです」。

二つの夢

「……何のために大学へ行くのか。それを私は教えてあげたい。見栄を張るために行けば、それは人間としての屑です」――中部未来会の質問会が続いている。池田が乗る予定の、名古屋発の新幹線の時間は決まっていた。しかしその時間をおして懇談が重ねられた。

「先日、大阪新聞に随想を書いた」と前置きし、池田は少年時代に抱いたという二つの夢を語っている。ちょうどこの日の大阪新聞に載った内容だった。

夢の一つは〈いつの日か、どこかに幾千、幾万の桜を植えてみたい――その満開の、壮大なる桜並木を見たならば、人々の心は、どんなに晴れやかになることであろう〉(『池田大作全

名古屋文化会館で行われた中部未来会結成式。池田は小・中学、高校生の代表メンバーと勤行し、約1時間にわたって懇談。〝未来の創価学会を守り、社会に貢献する人材に育ってほしい〟と念願した（1971年1月）©Seikyo Shimbun

集』第十九巻に収録）。

もう一つの夢は、ヴィクトル・ユゴーの小説『レ・ミゼラブル』を読んだ時に芽生えた。〈……その感動は、食を忘れ、夜の更けるのを忘れさせるくらいであった。少年の心は、曠野に飛翔し、天空を駆けめぐる興奮をどうしようもなかった。――無名でもよい、一生のうちに、後世に残せるような小説を書いて死にたい〉（同）。

なぜこうしたエッセーを書いたのか。それは君たちが今、描いている夢を〈なんとか達成させてあげる社会にしたい〉という思いからです、と続けた。

＊

「貯金のない人、夜学に行っている人、両親のいない人、ひとり親の人、お父さんのいない人……」。池田が次々に問いかけ、手を挙げる子どもたちをそれぞれ励ましていく。

「お父さんのいない人」と聞かれて返事をした一人が熱田明子である。小学五年生だった。

「私は一番前に座っていたので、先生はマイクを通した大きな声ではなく、『そうか、私をお父さんと思えばいいんだよ』と言われました」

明子が小学三年の時、父の鉄夫が心筋梗塞で急逝した。四十一歳だった。池田が日中国交正常化提言を発表した年だった。母のキミ、姉との三人暮らしになった。後を追うように鉄夫の父も亡くなり、遺された鉄夫の母も加えて女四人の生活が始まった。

「健康がとりえの父でした。安城市で地区部長をしていて、休みのたびに父のオート三輪に一緒に乗って、家庭訪問にくっついて回ったのを覚えています」

母のキミは運輸会社の事務員になり、悲しむ暇もなく働いた。「でも母はきっぷがいい性格で、知らない人なら、誰も父親を失った家族とは思わないほど明るい雰囲気をつくってくれました」。

質問会が終わり池田は全員と握手した。池田の手は柔らかく温かかったが、明子は「とても厳しい目だ」と感じた。「小学生だったので言論問題のことも、質問会の話の内容もあまり覚えていませんが、私たちを一人前の大人だと思って話をされた、という印象が強く残りました」。

この質問会の後、母のキミは「信心で疑問があったら、これからはお母さんに聞くのではなく、未来部のお姉さんに聞くんだよ」と教えてくれた。

その後も未来会で集まるたび、思い出が増えた。ある夏の研修の一コマ。池田が「カブトムシを見たことがない人?」と尋ねた。虫かごに入ったカブトムシをあげよう、という。一人の男の子が元気よく手を挙げた。「しばらくして、その子がもじもじしながら『ごめんなさい。カブトムシ、やっぱり見たことありました』と言い出して、会場も先生も大爆笑になりました。先生は『そうか、見たことあるのか。いいよ、いいよ、君にあげるよ』と。他愛(たあい)ないことなんですけど、先生は本当によく心を砕いてくださっているのだなと思いました」。

スイカ割りをしたこともあった。夕刻の会合が終わった後、「今日はみんなにプレゼントがあるよ。花火を見ながら帰りなさい」と言われ、夜空に咲く大輪(たいりん)に歓声(かんせい)をあげながら帰ったこともあった。

ある年、東京で全国未来会が行われ、参加した全員に色紙が贈られた。そこには池田の筆致(ひっち)で、

白雲
　動きたるも
　　わが創価山は
動かず
　　君達あれば

と記されていた。

池田は小さな苗木(なえぎ)を両手で包むように、彼らを文字通り「手作り」で守り育てようとした。

言論出版問題の嵐が去り、全国の「未来会」をはじめ、数えきれない出会いが生まれていく。

第3章 小さな約束を、大切に——青森

一人の女子中学生との約束を守るため、池田が予定を変更して八戸を訪れたことを、ある識者が目に留め、綴った。

「小さな約束が、ここでは大切にされている」

またある時、「十年後に必ず会おう」と池田が約束した、下北半島の中学生たちがいた。

彼らは、さまざまな苦難を越えて、約束通り池田のもとを訪れる。

本州最北端の地・青森でのドラマを追った。

船に乗ってから出航まで三十分もなかった。ちょうどお昼時で、机に向かっていられる時間はさらに短い。出航すれば、船が揺れ始める。

池田大作の目の前に何冊もの本が平積みされた。表紙を開き、ペンを走らせる。数行の短文ができあがり、インクを乾かしている間に次の本の表紙を開く――。

一九七一年（昭和四十六年）六月十二日の昼過ぎ。池田は北海道の函館桟橋から青森港まで、津軽海峡を渡る青函連絡船「羊蹄丸」の乗客となった。

出航前の慌ただしい雰囲気のなかで、幾つもの献辞を書いては考え、考えては書き続けた。

警笛が鳴り、羊蹄丸がゆっくり岸を離れた。「これは津軽の人に」「これは南部の青年部に」……船中で書き続けたそれらの献辞は、もうすぐ会う青森の創価学会員に宛てたものだった。

創価学会の青森本部を訪れ、ミニ文化展覧会を観賞する池田
（1971年6月、青森市）©Seikyo Shimbun

戦わぬ者の批判を風に変えて　さらに高く遠く飛んでみせる

こうしてさまざまな機会に綴られた短文は、のちに『若き友へ贈る』という一冊にまとめられた（一九七一年十月）。〈特に、この一、二年は、折にふれ、自分の著書に、私の感じたままを書いて贈ったりなどしてきた。……そのなかには、当然のことながら、会員でない人達に贈ったものも、いくつか含まれている〉（同書の「はしがき」）。

たとえば「苦境」の章には、

――春になれば　花が咲く　その根深ければ　必ず人生の幸せが　開くことを信じて　私は　太陽を受ける

——たとえ理解を絶した　環境の中にあっても　私は　春の花の微風を忘れずに　時の到来を信じて　今日も働くのだ

たとえば「実践」の章には、

——私は　庶民のために　真剣に戦ってきた　しかし　傍観者は　さまざまに批判する　それでいい　戦わぬ者の批判を風に変えて　さらに高く　遠く飛んでみせるから　今日も愉しい

——微笑しながら　なにも悔いが　なかったといえるような　臨終の人となりたいために　私は　日々臨終という　背水の気持で　真昼の太陽をうけながら　働くのだ

（『池田大作全集』第三十八巻に収録）

各地の人々に直接贈られた、これらの短いことばの数々もまた、一九七〇年（昭和四十五年）前後に起こった「言論出版問題」の嵐を乗り切る力になっていった。

＊

この年、東北はひどい冷害に見舞われた。〈青森、岩手、秋田のリンゴ、福島、宮城のモモ、ナシ、山形のサクランボも例年の半作、苗代被害は全県に及んでいる〉（一九七一年六月三日付「毎日新聞」夕刊）。

特に果物が打ちのめされた。東北六県の被害は一二〇〇億円を超え、自殺に追い込まれた人が五月までに九人を数えた。青森ではおもに水稲とリンゴがやられた。万策尽きて村ごと離農した地域もあった。学会員のなかには、減反して出稼ぎに行こうという周りを説得し、丈夫な苗を工面し、必死でしのいだ人々もいた。

池田にとって六年ぶりの青森訪問だった。その前日までいた北海道でも、東北の冷害の報告を聞いては「だから私は一番最初に行ってあげたいんだ。できることなら何でもしてあげたい。みんなに幸せになってもらいたい」。何度も口にし、案じていた。

船が青森港に着岸するまでに短文を書き上げておけば、会館に着いたら、ただちに本を手渡すことができる。陸に上がってから書いていたのでは、遅い。

羊蹄丸が青森に着いたのは午後四時十分。池田を乗せた車が青森本部に着いたのは同二十五分。その直後には、池田の献辞が記された本がさっそく青森の青年部メンバーに届けられている。

北海道では六月八日に札幌の羊ケ丘会館、九日には大沼研修所、十一日には函館会館を訪れている。もともとの予定になかった青年部との懇談も行われた。

――外面をどんなにきれいに装っていても、内面は作業服でなければならない。それが創価学会の生き方です。他の人は、どんなにきらびやかに生きようと、自分の心は作業服、労働者の姿である。こういう皆さん方であっていただきたいのです――

北海道で語ったこの言葉を、池田は羊蹄丸で実践していた。

「〝三変土田〟だ。負けてはいけない」

「あの年だけでなく、続いておったんです、冷害が」。八戸に住む上村武之助は、青森で創価学会の高等部長や東北全体の高等部長などを歴任してきた。一九七一年（昭和四十六年）の青森訪問では、運営スタッフとして目の回る忙しさだった。

「八戸のほうは特に『やませ』、東から吹きつける冷たい風がありますから、稲作にとってよくないわけです。私が生まれた秋田では、民謡の生保内節で歌われるように、東からの風は『宝風』になる。奥羽山脈を越えてくることで、かえって豊作をもたらすんです。秋田から青森に来て、東からの風は〝けかち（飢渇）の風〟だと痛感しました。

だから、池田先生が青森山田高校で、法華経に説かれる『三変土田』の話をされたことが忘れがたいのです」

青森山田高校の体育館で、代表との記念撮影会が行われた（六月十三日）。全県から約三〇〇〇人が集まり、二基の撮影台を使い、合計十二回の記念撮影である。田植えが一段落し、日焼けした顔が多かった。

６年ぶりに青森を訪れ、未来部（小・中学、高校生のグループ）**との記念撮影に臨む池田**（1971年6月、青森市）©Seikyo Shimbun

池田は遠来の友に記念の品を渡した。体の弱い人はいませんか。両親のいない人はいませんか。失業している人はいませんか――呼びかけるごとに手が挙がり、励ましが続く。

九十五歳の老人がいた。八戸からやってきた。来年はぜひ池田のもとに行きたいと伝えた。

「その時は私が迎えてあげます」。池田が応じた。「それまで、体を大事にして長生きするんですよ。あなたは〝昭和の阿仏房〟だ。さあ、握手をしようね」。

日蓮が佐渡に流された時、日蓮を支え続けた門下、阿仏房になぞらえ、九十五歳の小さな体を抱きかかえるように励ました。

もうすぐ「父の日」ということで、六十五歳以上の壮年たちに池田が花束を贈る一コマもあった。

ある人は「自分が現在、幸せに生きていられるのも、この女房がいたればこそなのです」と言って、ふところから亡き妻の写真を取り出した。池田は何度もうなずきながら彼の話に耳を傾けた。

この日、池田は繰り返し語った。

「悠々と張りのある信心をしていこう。〝三変土田〟だ。負けてはいけない」「一念によって全部変えていくんですから。負けちゃいけない。変えていくんだ。こういう一念でなくちゃダメだ」

「仏国土とは、人間の『宝塔』を打ち立てること」

「法華経」は、おもに二つの舞台で説かれる。地上の「霊鷲山」と、空中の「虚空会」である。舞台が「霊鷲山」から「虚空会」に移る時、想像を絶する大きさの「宝塔」が現れる。

この不思議な宝塔は、「人間の生命のはかりしれない可能性」を表している。

塔の中には多宝如来という仏がいる。「法華経の証明役」である。しかし、塔の扉はまだ開かない。

釈尊は、多宝如来が姿を見せるために、国土そのものを三度にわたって大きく変えていく。

この原理を「三変土田」と呼ぶ。「三回変える」意味は、衆生の「三つの惑い」を打ち破るためだともいわれる（天台大師の『法華文句』）。

三変土田を経て、諸仏が集まり、いよいよ「宝塔」の扉が開く。そして未来に向けて、最も大切な法が説かれ始める——この壮大なスケールの物語を、創価学会員はおとぎ話だとはとらえない。池田は語る。

「どこか別の世界に浄土があるのではない。あくまでも『娑婆即寂光』なのです。

要するに、仏国土とは、人間の『宝塔』を打ち立てることです。皆が『宝の塔』と輝くことです。その『宝塔』の林立が仏国土をつくるのです」（普及版『法華経の智慧』〈上〉五〇六ページ）

さらに「三変土田とは、病める人間生命を『健康』にすることによって、世界を、地球を『健康』にするということです」（同五〇三—五〇四ページ）と池田はとらえる。

自分の生命が変われば、周りも変わる——こうした生命観が、一人ひとりの生老病死に光を当てて、何らかの意味を見いだし、価値を生む人生観を形づくってきた。

先に触れた『若き友へ贈る』の続編にあたる、短文集『友へ贈る』には、次のような言葉が載っている。

苦痛であった坂道も
三変土田の姿勢になるとき

（『池田大作全集』第三十八巻）

もはや金の坂道となることを
知ったが故に
私は
金の信仰を持続する

九人の地区部長

池田が初めて青森で会合に出席したのは、恩師の戸田城聖（創価学会第二代会長）がこの世を去って七カ月が過ぎたころだった（一九五八年十一月三日）。

これを機に、青森に「支部」が生まれる。初代支部長に任命された鈴木彰は、「まず、行ったことのない町や村は、県内にはありません」と語り残している。青森市から下北半島へ行くには、片道で二日かかった時代である。弘前、黒石、十和田、三沢、八戸、津軽、むつなどを地道に回った。

鈴木彰は第一次世界大戦の好景気に沸く一九一五年（大正四年）、宮城県で生まれた。太平洋戦争の末期、日本軍の兵士として戦場に立った。三十歳で敗戦を迎えた。「戦争は、二度とごめんだ」と思い知った世代の一人である。若い兵士が折り重なるように倒れていた光景を、

創価学会の八戸支部の結成大会を終えて秋田へ向かう途中、乗り換えのため青森駅に降り、歓迎を受ける池田ら（1961年2月）©Seikyo Shimbun

生涯忘れられなかった。

敗戦から七年後、仙台で座談会に参加し、創価学会に入った。翌年、青森市内で税理士として独立する。やがて妻のセイとともに、青森で初の支部長、支部婦人部長になった。

まだ会館などない。池田が来た時は、鈴木宅の八畳間と十畳間の二階に青森全県の代表が集まった。

青森の「青」は「青年の青」。青森の「森」は「人材の森」――この時の池田の言葉は、今も指針になっている。

「実は、青森県へは戸田先生が来られる予定でした。今日は先生の名代としてまいりました」

鈴木宅の二階で池田はこう切り出し、九人の地区部長に、あることを頼んだ。

「鈴木さんを真ん中にして、みんなで囲み、肩を組んでください」

なかには怪訝な顔をする地区部長もいた。

〈……十人の壮年が前に進み、円陣を組んだ。

「この姿を忘れないでください。これが、今後、青森支部が目指す団結の姿です」

青森県はかつて、現在の弘前、青森市を中心とする津軽藩と八戸市を中心とする南部藩の二藩に属し、古くから二つの地域の住民は「津軽衆」「南部衆」と呼び犬猿の仲と言われていた〉（二〇〇八年六月十三日付「聖教新聞」青森版）

万が一にも、世間のしがらみなどがきっかけで、お互いの感情をもつれさせてはならない――それぞれの地域の特性を知ったうえで、三十歳の池田は心を砕いた。

＊

この〝円陣〟にはもう一つ意味があった。新しく支部長になった鈴木彰は宮城出身である。青森ではない。さらに、当時の学会は「タテ線」と呼ばれる組織であり、住む地域ごとよりも、人づてに広がり、つながっていった。青森支部が生まれるまでは、東京の地名を冠した杉並支部や本郷支部など、幾つかの支部が混在していた。

円陣を組んだ日の夜、青森山田高校を借りて、支部結成を記念する会合が開かれた。

〈青森県下から集まった一〇〇人余りの同志の前でも、（池田は）次のように語った。

「『私は杉並だ。私は本郷だ。私は城東だ。私は北海道だ』と、そんなことを言っているようでは広宣流布はできません」

「全員、大聖人（日蓮）の弟子です。戸田先生の弟子です。こういう美しい心をもって、仲良く、明るく頑張っていっていただきたい」〉（前出の「聖教新聞」青森版）

こう訴えた思いの底を、池田は数日後の日記に記している。

〈第十九回総会。後楽園競輪場。戸田先生——最後の師子吼の場なり。正午開始。七万の会員集合。支部長代表抱負のころより、雨となる。思い出の総会の一つ。

支部……十支部誕生。青森、福島、川崎、静岡、豊橋、高松、長崎、熊本、宮崎、鹿児島である。支部の拡大もよし、しかし、先生の精神の拡大が大切だ。今日ほど、疲れた日は、最近になし〉（一九五八年十一月九日、『池田大作全集』第三十七巻）

池田のもとで、十人の男たちが〝円陣〟を組んでから一年で、青森創価学会の世帯数はそれまでの七五〇〇から一万五〇〇〇に倍増する。

父よ生き抜け 母よ生き抜け

それから十三年後の一九七一年（昭和四十六年）——青森山田高校の体育館が再び出会いの舞台になった。この日を節目に、何年にもわたって何本もの〝励ましの糸〟がつながっていく。

十二回にわたる記念撮影が終わると、参加者たちは「七戸駒踊り」や「じょんがら節」を披露した。

――「青森を見よ！」と誰もが胸を張って言える組織を作ってほしい。

「青森を見よ！」。これを合言葉にしよう。

――結局、呼吸を合わせるしかない。団結していく以外にはありません。呼吸を合わせれば一〇〇の力が一〇〇〇になるんです。「東京がなんだ、青森を見よ！」、これでいこうよ。

池田が話を終えて、体育館を出ようとした時だった。中学一年生だった高畑ひろみが池田に声をかけた。

「先生、八戸に来てください」

池田は「よし、わかったよ」と答えた。同行スタッフに「ノートを差し上げて」と頼み、目の前の少女に「創価大学にいらっしゃい」と握手した。

「あの時なぜ先生に声をかけたのか、よく覚えていません」と高畑ひろみは振り返る。「おそらく、入院していた父のことが頭にあったのだと思います」。

ひろみの両親は、八戸の売市という町を折伏に歩いた。「私は二歳の時、重い小児結核にかかりました。同じ時期に私の兄が交通事故に遭ってしまい、足を切らざるをえないかも、という重傷でした。その時、父は『この子たちの命は私が救う』と言って信心を始めたそうです」（高畑ひろみ）。

＊

兄の足は切らずにすんだ。助からないといわれていたひろみも元気に育った。父の昭三郎は母の妙子と連れだって、畑仕事で使っていたリヤカーにひろみを乗せて折伏に歩くこともあった。

「車もない時代ですから、座談会に行くのも家族で雪中行軍のように歩きました。いろんな人の体験談を聞くのが楽しかったですね。冬は下から吹き上げるような雪です。夏は夜空を見上げながら、学会歌を歌いながら帰って、途中でラーメンを食べたり、かき氷を食べたり」

青森山田高校で行われた3000人との記念撮影の際、親善卓球大会に出場する（1971年6月、青森市）
©Seikyo Shimbun

（高畑ひろみ）

父の昭三郎が倒れたのは、ひろみが小学六年生の冬だった。雪が降っていた。「突然、鼻から血が出て止まらなくなりました。幸い、病院が近くにあって、母が父を背負って雪の中、病院まで歩きました」。

原因がわからないまま、出血は致死量に迫っていた。医師から「会わせたい人がいたらすぐに呼んでください」と言われた。

「駆けつけてくださった学会の地区の方々に輸血をしていただいて、父は死なずにすみました。先生との記念撮影の時は、まだ父は入院中でした」。ひろみは毎日、学校からの帰り道に病院に寄っていた。

青森での記念撮影会の翌日――池田はそのまま仙台に向かう予定だった。わずかに時間の余裕があった。池田を乗せた車が、創価学会の八戸会館に着いたのは、六月十四日の正午だった。

「信心とは、御本尊と自分との関係なのです」

会館には二五〇人ほどが集まった。勤行の後、池田は一つの提案をした。――来年までに、どんなささいなことでもいいから、一つの功徳の現証を『倍』にしてはどうか――というのである。そしてたくさんの例をあげた。

「たとえば、へそくりが三万円ある人は六万円に」「今まで奥さんに指輪を一つ買ってあげた人は二つに」

誰も予想していなかった提案に、会場は大笑いと拍手で沸いた。

「会社で係長の人は課長に」

創価学会の八戸会館を訪問。勤行会に出席し「団結して、楽しく、美しく、たくましい八戸に」と語った（1971年6月、八戸市）©Seikyo Shimbun

「友人が三人いる人は六人に」

「人間、目標がないと茫漠としてしまう」

そして、人間革命には「時間がかかるのはやむを得ない。しかし、その変わっていく過程に福運がつくのです」と語った。

仙台行きの列車の時間が迫っている。前日、「八戸に」と頼んだ高畑ひろみは、自分の父親のことを池田に一言も言わなかった。しかし池田は懇談の最後に「父よ生き抜け」と語った。

「……お父さんはどうか、生きて生きて生き抜いていただきたい。早く死んでしまえば後の人がかわいそうだ。淋しい思いをする。

お母さん方も一家の母として、太陽として、どんなことがあっても生き抜いてほしい。……親のない子は本当にかわいそうだ。私は何万というそういう子どもを、家庭を、誰よりも見てきているし、知っております」

ひろみにとって、病床の父に贈る、なによりのメッセージになった。

「信心とは、結局は御本尊と自分との関係なのです。その間に何か挟まれば、境智冥合にはならないんです」「八戸は任せてください！と言い切れる皆さん方であっていただきたい」「すべては無形の一念から、有形のものを、現証をつくりだしていくのです」

八戸会館には一時間足らずの短い滞在だった。池田を乗せて仙台へ向かう国鉄（現・JR）の「はつかり3号」は、十三時半過ぎに八戸駅を出発した。

青森の未来部（小・中学、高校生のメンバー）を担当していた間山治子は、青森での記念撮影会の現場を取材していた、ある識者が書いた寄稿文が、強く印象に残っていると述懐する。

〈……記念撮影が終わると、会員たちがアトラクションとして踊りや唄を披露した。結成されて一か月目という鼓笛隊も軽快に登場した。

……一人の少女がいった。「先生、八戸へきて下さい」「よし、わかったよ」。その翌日、会長が予定を変更して八戸を急に訪問したのを知ったのは、帰京してからだった。小さな約束が、ここでは大切にされている〉（一九七一年六月二十一日付「聖教新聞」）

「十年後に必ず会おう」

下北半島に住む木村正は、この「小さな約束」が交わされた場に居合わせた一人である。高校生だった。下北の未来部メンバーの代表として、「みんなと一緒に行こう」と思い、全員の名簿を手に参加した。

この木村が中学二年生の時、池田から一冊の本が届いたことがある。その時はまだ、池田と一度も会ったことがなかった。

本が届いたきっかけは、一枚の写真だった。

*

その写真は陸奥湾をバックに撮られた。四十人ほどの中学生たちが写っていた。「昭和四十四年の三月でした。中学の卒業式があるので、その前に中等部のみんなで卒業部員会をしたんです。下北半島の中等部員が大湊に集まって、その時撮った写真を池田先生に送りました」（木村正）。

「大湊」という地名の由来は明治維新にさかのぼる。会津藩が下北半島に封じられた時、ここに港を開き、立派な貿易港にしようという〝遠大な理想〟を込めて名づけられたといわれる（『大湊町誌』）。

大湊から陸奥湾を臨むと、その方角のはるか先には東京がある。「写真は男子部の部隊長だった小向さんが撮ってくれました」（木村正）。「東京まで届け」と願いを込めてシャッターを切った。

「三月二十五日ごろに郵送したのですが、それから一週間後に東京から小包が届きました」

その小包が東京で投函された日付は「四月三日」だった。池田の『若き日の日記 Ⅱ』が丁寧に梱包されていた。

正が表紙を開くと、池田の筆跡でこう書かれていた。

下北の　中等部員の
成長と栄光を
ぼくは　いつも祈ろう。
此の写眞の　友と
　十年後に必ず会おう。

左上には〈木村正君〉、右下には横書きで〈１９６９・４・２〉、そのすぐ下に〈１９７９・４・２〉と記されていた。

「『ああ、先生はぼくたちの写真を四月二日にご覧になったんだ』と思いました。あとで気づきましたが、この日は創価大学の起工式の日でした」。正たちはまさかの〝約束〟に喜び、それぞれの思いを返信に書いた。

「ただの子どもを、なぜここまで励まされるのか」

下北の
中等部員の
成長と
栄光を
ぼくは いつも 祈ろう。
此の 栄冠の 友と
十年後に 必ず 会おう。
1969. 4. 2.
1979. 4. 2.

池田が下北の子どもたちに贈った揮毫 ©Seikyo Shimbun

この一九六九年（昭和四十四年）の後半から、創価学会は「言論出版問題」の暴風雨に揺れた（第二章で詳述）。東北も例外ではなかった。

そして翌七〇年の秋も、下北半島に池田からの小包が届いた。完成したばかりの『私の人生観』（文藝春秋）だった。

この本を書いた背景を、池田は創価大学で語ったことがある（一九七六年七月十一日、「金の橋の碑」除幕式）。

「……つらくても、苦しくても、動いていけばそこに一歩前進があるのです。動かなければ何もできない。

私は、昭和四十五年当時は、肺炎をわずらい、毎日、たいへんな熱を出していました。けれども、私の半生期の人生観を書こうと思って筆をとりました。発熱のため、氷で頭を冷しながらの苦闘でした。一枚しか書けない日もありました。ある人が私に言いました。『どうしてそんなに苦しいのに書くのですか』と。私は『いや一枚でも書けば、一枚書いたことになる。二枚書けば二枚書いたことになる。一日何も書かなければゼロです。少しでも前進しなくてはならないし、挑戦しなくてはいけない。一日のうちに何か自分はやっておきたいのです』と言って、一枚書くと一本線をひき、二枚書くとまた一本線をひき『正』という字で原稿枚数を記録していきました。全部書き終わったときに、ある近しい人に、このように幾日までに何枚書いたという記録を、私がさしあげたことがあります」（『池田大作全集』第五十九巻）

こうしてできあがった本が『私の人生観』だった。届いたその本の表紙を開くと、

下北乃
わが中等部
嵐征け

霜月八日

池田の筆跡は、前年よりも激しかった。

木村正は信じられない思いでしばらくそのページを眺めた。なにしろ、去年のようにこちらから写真や手紙を送ったわけではない。

「ちょうどそのころ、私は学校でかなり悩んでいました。今から思えば、なんであんなに苦しんだのかと思うようなことですが……。

学校で文化祭があり、自分はある企画のまとめ役になったのですが、クラスはまとまりがつかず、文句ばかり言われる。人間関係に悩み、祈ってもままならない。そういう毎日でした。

ある日、誰にも言わず、陸奥湾に行ったんです」

池田と〝十年後〟の約束を交わすきっかけになった大切な場所で、正は海を見ながら悔し泣きに泣いた。「青春時代には誰でもぶつかるような交友関係や、部活や、勉強の悩みが重なっていました。先生から『私の人生観』が届いたのは、それからちょうど一週間後でした。とても不思議なんですが、先生から突然届いた本に書かれていた『十一月(霜月)八日』という日付は、私が陸奥湾に行った日だったんです。

本州の一番北の端に住んでいる、ただの子どもにすぎない私たちに対して、なぜここまで励まされるのか。『負けるな』と言われたような、『あえて嵐に向かって行け』と言われたような。

胸が震えました。あの時のことを思い出すと、今でもちょっと……」。そこまで話し、正は涙をこらえた。

約束から十年後の冬、池田は青森を訪れる。それは、創価学会の第三代会長を辞任する三カ月前のことだった。

難戦（なんせん）の時にこそ

「あの日の雪はすごかったですね」と若林誠は振り返る。「高等部の人たちが白鳥の雪像をつくっていましたから」。中学一年生だった若林は、その日結成された「青森未来会」の一人である。「昭和五十四年の一月十四日、青森文化会館の一室で二十人弱の未来部員が先生と懇談しました」。

未来会との懇談は仏間（ぶつま）で行われた。池田は長い時間をかけた。「懇談の途中、先生のそばに何組かの大人のグループが順番に座っては激励されました。私たちは先生のさまざまな励ましを目の前で見ることになりました」（若林誠）。

そうしたグループの中に、池田が「いやー、久しぶりだね！」とひときわ手厚（てあつ）く歓迎（かんげい）した人たちがいた。下北から駆けつけた木村正たちだった。

「よく来たね。忘れないで。このことが大事なんだ」「よく十年間、覚えていてくれたね」

青森未来会の第１期生や、下北会のメンバーらと懇談。池田は「誓いを忘れない。これが大事なんだ」「10年後、20年後を見ているよ」と語った（1979年１月、青森市）©Seikyo Shimbun

池田は「何をしているの？」と全員に近況を聞いた。十年前は中学生だった長井節子は、大手自動車会社の陸奥営業所に勤めていた。

「先生との約束を果たした日は猛吹雪でした。青森市に行く時は車で陸奥湾沿いの道を走るのですが、吹きだまりができていたり、視界が狭かったり、あの道が終わるまでが大変なんです。二時間半かけて、なんとか無事にたどり着きました」。

それまでの十年、日蓮が書いた「開目抄」の一節〈我並びに我が弟子・諸難ありとも疑う心なくば自然に仏界にいたるべし、天の加護なき事を疑はざれ現世の安穏ならざる事をなげかざれ〉（御書二三四㌻）を指針にしてきたと語る。

長井節子の両親は、節子が二歳のころ、創価学会に入った。下北半島にある横浜町で弘教に励んだ。

「両親が入会したのは昭和三十二年です。父は子どもが七人いるのに給料がお酒に変わるような生活だったので、母は本当に苦労しました。母が信心を始めてから、父がお酒におぼれなくなり、〝ふつうのお父さん〟になった。夫婦げんかをしなくなった。母も変わった。それがとてもうれしかったことを覚えています」

*

池田にとっては十年ぶりの〝再会〟だった。何度も声をかけた。

「十年間、孤独に負けずによく戦った」「実行することが最高に尊いことなんだ。だから、君たちは勝ったんだ。最高に尊い人たちなんだ」「諸天善神の軍配は君たちに上がった」

鶴沢美代子は高校を卒業した後、父親が交通事故で片足を失った。地方議員をしていた父をさまざまな場所に送り迎えするために、車の免許をとった。

「田舎では娘を高校に行かせるだけで大変だったですから、両親は周りから『お金をかけて高校にやったのに就職もさせないで』と悪口を言われました。昭和二十六年に信心を始めた母は、心ない悪口にも『娘はお金のためでなく、人格を磨くため、教養を磨くために学校に行かせたんです』と毅然と言い返したそうです」

父の送り迎えが一段落した後、むつ市内で会社勤めを始めた。その後、子どもを授かり、東京で母一人、子一人で暮らしてきた。

青森市文化会館で盛大に開催された「創価青年大会」（2017年9月）。池田はかつて「青森の〝青〟とは青年の青であり、〝森〟とは広布達成の人材が、時の来るのを待って集う森である」との指針を示した ©Seikyo Shimbun

「池田先生が『常に読書を怠るな』と言い続けておられましたから、私は頭がいいわけではありませんが活字に触れるように努力してきました。息子もそういうふうに育ててきたつもりです」

池田の『若き友へ贈る』は、美代子の同世代の青年たちに贈った短文集である。その「教養」の章に、次のような言葉が並んでいる。

私は　あらゆるものを読む
それを選別し　昇華させ
積極的に
社会活動の源泉にしたいのだ

私は　勉強する時間がない
しかし　寸暇をさいて勉強したい
顔形の欠点よりも

精神の欠点　一念の欠点が
恐ろしいからだ

興奮の渦巻き（うずまき）の中にあっても
私は　未来の時代を先取（せんしゅ）しながら
自分の使命のための
勉強を決してやめない

読む――
君も僕も　なんでも読むという
頭脳の訓練だけは
いかに老いても
怠（おこた）りたくないものだ

（『池田大作全集』第三十八巻）

女手一つで子どもを育てた。言うに言われぬ苦労があった。「母子（ぼし）家庭になって、最初は息子に申し訳ないという思いでいっぱいでした。でも信心を続けるなかで、私と同じような思いをしている人に、経験を伝えてあげられる立場になるのかな、と思い直して、それが私の役目だと思って生きてきました」。涙ぐみながら述懐する。

美代子の息子は今、都内のイタリアンレストランで働きながら、学会の男子部部長としても活動に励んでいる。

青森の奥入瀬渓流に足を運び、居合わせた少年と握手（1994年8月）

＊

木村正は大学を卒業するまで、教育の道に進もうとは考えていなかった。考えが変わったのは、池田との〝再会〟がきっかけだったという。

「先生と会ったのは大学四年の卒業直前で、東京の金融関連の会社に就職が決まっていました。十年後に会おう、と言われて、必ず見守り、支え続けてくださった先生の人間性に触れて、そういう仕事はないだろうかと思い、教師になろうと決めました」

働きながら通信教育で資格を取った。故郷の下北に戻り、小学校教師の道を選んだ。四十二歳で教頭になり、十二年教頭職を担った後、大間町の小学校で五年間、校長を務めた。地域社会との連携の取り組みが「日本教育新聞」で紹介されたこともある。

*

――懇談が終わるころ、池田はそばにいた地元の幹部に「近くに会食できるところはないか」と尋ねたが、近くても二十分ほどかかることがわかり、残念がった。そして目の前のかつての中学生たちと約束を交わした日付を思い起こし、「四月二日か……」とつぶやいた。

「その場にいた私たちが強烈に覚えているのは、先生が懇談を終えられた後のことです」。若林誠が語る。

「先生は去り際に、『君たちが思うと思わざるとにかかわらず、わが弟子だよ。十年後、二十年後を見ているよ』と言われました。今から思えば、私たちに対する『学会を頼む』という思いだったのかもしれません」

翌日には、成人式を記念して二十歳のメンバーが集まった。その中に八戸の高畑ひろみもいた。「先生は『青森で、成人式か』と喜ばれて、のちに私たちの集まりは『青人会』と名づけられました。短い懇談でしたが、『ぼくは君たちのために、命がけで道を開いているんだ』と言われたことが忘れられません」。

『若き友へ贈る』の、「指導者」の章の冒頭には、次のような短文が載っている。

難戦の時がある

われわれが負けているように
見える時に――
不動の指揮者が一人いれば
必ず勝利に転ずるという
確信を信条として
私は　存在する

（前掲全集）

全国各地の「未来に生きる人」と語り合いながら、この言葉通りの〝必ず勝利に転ずる〟道を池田は開き続けた。

第4章 〝世界一の人〟になりなさい ——東京

一九七四年(昭和四十九年)の十二月、東京の創価学会本部周辺。その日は、風がとても冷たかったという。

池田は集まった子どもたちに語った。

「学会本部の玄関は北に向かっている。北風(きたかぜ)に向かって本部から出発していくんだ」

その名も「北風グループ」。当時、二度目の中国訪問から戻ってまもなくの池田の言葉は、友の生涯の指針となった。

一九七〇年（昭和四十五年）に吹き荒れた「言論出版問題」の嵐が、ひとまず過ぎ去ったころ――五島一誠は創価学会の本部職員だった。購買部で会館の備品などをそろえる担当をしていた。

ある日、ロビーの応接席で額縁を扱う若い職人と打ち合わせをしていた。ロビーをたまたま池田大作が通りかかり、「何をしているの？」と声をかけた。

これまで池田が撮った風景写真を額に入れるための相談だった。五島は、この時のやりとりを手記に書きとどめている。

〈……先生は「そうか」とおっしゃり、額縁屋の青年に「下手な写真だけれども、皆が額に入れて飾ってもいいと言ってくれているので、額に入れていただけますか？」と言われたところ、彼は立ち上がって、直立不動で大きな声で「やらせていただきます」と答えた。先生は、彼に椅子をすすめ懇談をして下さいました。……〉

「ええ、五島さんが書き残されたとおりですよ。池田先生と会った時は、たしか額縁のサンプルを作って持って行ったんです」。穏やかな笑みをたたえて振り返るのは、「カワヅ美術額装」の河津英男である。

英男は二代目。今は息子の栄一郎が三代目を務める。「親父が信濃町に額縁を納めに行く時、おれは車の中で待っていました」と快活な栄一郎が語る。

「うちは創価学会ではないけど、あの当時は学会さんから戸田会長（戸田城聖、創価学会第二代会長）と池田会長の写った写真をお預かりして、相当な数の額を作ったこともあります。真心を込めて作りました」

そう言って英男は、大学ノートより一回りほど小さい、一枚の布を手にした。額縁と作品との間に生じる余白を埋めるためのマット（布）である。創価学会から依頼を受けた時、京都の西陣に注文して作ったというその布地を、今も大切に保管している。

五島一誠とともに購買の仕事をしていた本田晴男は「カワヅさんの仕事は抜群でした。牧口先生（牧口常三郎、創価学会初代会長）、戸田先生の写真額をお願いした時も、素晴らしいものが仕上がったことを覚えています」と述懐する。

「学会は嫌いだけれど、貴方(あなた)は好きだよ」と言われる人に

「創業は私の父親がたしか大正十五年と言っていました」（河津英男）

「カワヅ美術額装」は上野の不忍池(しのばずのいけ)にほど近い、地下鉄の湯島駅前に店を構(かま)える。優(すぐ)れた技術で知られ、英男の父、金四郎からの家族の歴史が「産経新聞」紙上の連載「老舗風土記(しにせふどき)」でも取り上げられた。

〈軸物(じくもの)であった日本画に額装が取り入れられ始めたのは昭和三十年頃からで、初代の父、河津金四郎氏は、比較的早くから日本画の額も始め、現在、カワヅは洋画と日本画の両方の額ぶちを作る数少ない店の一店である〉（一九九四年七月十二日付「産経新聞」）

金四郎は洋画家の藤田嗣治(つぐはる)の額装も手がけた。日本画家の児玉希望や伊東深水(しんすい)も「カワヅ」の額装を好んだ。片岡球子(たまこ)の日本画の額装は〈まるで額ぶちの魔術(まじゅつ)〉（同「産経新聞」）と評される。

赤坂の迎賓館(げいひんかん)が改修された時、金四郎と英男に声がかかり、大理石の柱に金箔(きんぱく)を貼ったこともある。

「額縁は花嫁(はなよめ)さんの着物と同じで、引き立てるのが役目」「絵を生(い)かすために、一生懸命、額

縁を作っています」と英男は語る。
めったに取材を受けない。二〇一六年（平成二十八年）、上野広小路を特集するテレビ番組に出た時も「ずいぶん断った」という。
「うちは〝看板〟が好きじゃない。たとえば〇〇御用達とか、そういうのは出せるけど一切出さない。だからインターネットを見ても出てこない。画廊さんがうちの額を紹介してくださることはありますが」（河津栄一郎）
父の金四郎から技術と職人気質を受け継いだ英男は、池田と話した時、目も合わせられなかったと振り返る。「いろんな人からああだこうだ言われても、ああやって学会を引っ張ってこられる。並大抵のものじゃない。偉大な人です。緊張しちゃって目なんて合わせられないですよ」と笑う。

＊

池田が河津英男と会った翌日の朝――和服を見事に着こなした女性が学会本部を訪れた。池田に「昨日の御礼」を述べに来たという。英男の母、河津米子だった。

応対した五島一誠の手記。

〈……昨日は、息子が片手にタオルを巻いて帰ってきたので、お母さんが「どうしたの」と聞いたら、息子は、「今日は創価学会へ行ったんだ。そしたらそこで池田先生に会ったんだ。たくさん激励していただいて、本をいただいて、この手で握手していただいたんだ」とタオルを外して、七人の家族みんなに握手をしてくれました。「初めて会った若い息子に、大変な激励をしていただきましてありがとうございました」……〉

五島の報告を聞いた池田は、ただちに河津家七人の一人ひとりにお土産を用意し、「すぐに持って行きなさい」と五島に託した。

〈……朝来たお母さんはモンペをはいて仕事をしていました。来訪の趣旨を伝え、先生のお礼の口上を伝え、お土産をお渡しすると、お母さんは、しばらく沈黙していましたが、やがて一言、話しました。

「私は創価学会が大嫌いでした。しかし、池田先生は大好きです」

この報告を聞かれた先生は「学会を嫌いな人に、好きになれと強要しても無理だよ。『学会は嫌いだけれど、貴方は好きだよ』と言われる人になればいいんだ」と〉

「ええ、このメモのとおりです。母は五島さんには思っていることをそのまま言ったんです」。河津英男はうなずきながら語る。

「父は引き受けた仕事を命がけでする。当時、外交はぜんぶ母がやっていました。母は九十八歳で亡くなりましたが、池田先生のサインの入った本を『宝だよ』と言って大切にしていました」

米子は産経新聞の取材を受けた時、〈七十八歳という年齢が信じがたい若さ、美しさ〉と描かれている。詩吟の教室を開き、たしなんだ剣舞をフランスで披露したこともある。

東京大学での学生紛争。東大生らが立てこもる安田講堂に機動隊が放水する
（1969年1月、東京・文京区）©毎日新聞社／アフロ

誇りある匠（たくみ）の店と、池田とのやりとり。それは、伝統を支え続けてきた大正生まれの一女性の心意気と、池田の心が通じ合う一コマでもあった。

未来からの使者

「学会は嫌いだけれど、貴方は好きだよ」と言われる人に――そう池田から教わる数年前、五島一誠は専修大学の神田キャンパスに通う学生だった。一九六九年（昭和四十四年）一月、ある会合で池田から「日大にも行ったよ。東大にも行ったよ」と聞いたことがある。

池田が話し始めた時は、なんのことかわからなかった。

「本郷に、あの日の前にも行き、一人で

構内に入った。御茶ノ水駅にも行った。目が痛くなったし、喉も痛くなった。中大の、通りの角……」

この時、日本中で「大学紛争」が吹き荒れていた。学生が占拠した東京大学の安田講堂はその象徴であり、連日、ニュースで報道されていた。安田講堂が機動隊によって〝陥落〟する数日前、池田は東大を視察している。また、御茶ノ水経由で中央大学や日本大学を回ってから安田講堂に向かった日もあった。

一誠は「専修大の構内は比較的静かでしたが、周囲ではデモが盛んに行われ、投石や火炎瓶の黒煙、爆発を間近に見ていました。〝あんな危険な場所に……〟。先生の行動に、心底、驚きました」と語り残している。

＊

池田の恩師である戸田城聖が、生涯の最後につくった創価学会の組織が「学生部」だった。その代表に対する「御義口伝講義」（一九六二年～）に、池田は五年の歳月を注いでいる。

同時に〈次の布石、また次の布石〉と手を打った。そうやって次々と「高等部」「中等部」「少年少女部」などが生まれた。今の「未来部」の源流である。

〈……「御義口伝」は、日蓮大聖人の仏法の骨髄が説かれている御書（日蓮の遺文集）で、法華経の文々句々を大聖人がみずからの立場で講義されたものを弟子の日興上人が筆録したものである。

創価学会の学生部の代表に「御義口伝」を講義する池田
（1962年8月、東京・新宿区）©Seikyo Shimbun

私は、ひとまず学歴にまつわるいっさいの装いを取り去り、なおその奥に光る人間の育成を試みることから始めた。彼らにつねに言うことは、庶民とともに歩む労働者であれ、ということであった。

……これが軌道にのると、さらに次の布石、また次の布石というように、私の目は少年に向けられていった。（昭和）三十九年六月には高等部、中等部を結成、四十年九月には少年部を発足させた。なかに鳳雛会、未来会などをつくり、二十世紀の残された四半世紀のために、また来る二十一世紀をいかに生きるかを語り合った〉（池田のエッセー、『池田大作全集』第二十二巻）

このエッセーで池田は、子どもとの接し方についても綴っている。

〈わが家にも近所のちっちゃな子が遊びにくる

ことがある。家宅侵入をしてくるなり、とっとっと台所の冷蔵庫に直行し、中身の宝物をさらっていく。

本部にも、私の幼い友だちはやってくる。彼らは、自由に動き、ときには粗相もする。親はあわてて子を叱ろうとするが、私は、叱る親を止める。いいんだ、いいんだ、と。未来からの使者は、伸びのびと自由奔放に育てたい。ただし、転んでも一人で起き上がるのを待つ。他に頼らないという自立心を育てたいからだ。

ある日、駐日英国大使と懇談したが、心に残る話を聞いた。大使は、毎日、夜になると、小さなお子さんに、その日あったことを、わかろうがわかるまいが、一つ一つ話すという。子どものなかに、一個の大人の人格を認めることから生まれてくるこの父子対話は、いろいろなことを考えさせてくれるようだ〉（同）

五島一誠は創価学会の東京少年部長を務めていた時、子どもたちに〝一個の大人の人格を認める〟池田の振る舞いを、間近で目にすることになる。

「あの日は信濃町の会館に小学生が集まって、御書の『聖人御難事』の勉強会をしていました」。十二歳だった小渕智子は「先生にお会いする予定なんてまったくなかったんです」と述懐する。

一九七四年（昭和四十九年）の年の瀬だった。東京の子どもたちが会合を開いていることを聞いた池田は、わずかの空き時間を使って懇談の場をつくった。翌日の「聖教新聞」を見ると、

「君たちが創価学会を引き継いでいくんだよ」「世界一の人になりなさい」「みんな娘と息子だね」――未来部（小・中学、高校生のグループ）の代表と記念撮影し、一人ひとりを励ます池田。この日の参加者に「北風グループ」と名付けた（1974年12月、東京・新宿区）©Seikyo Shimbun

子どもたちとの懇談は、アメリカの雑誌「タイム」の取材を受ける直前のことだった。

その日、かつての子どもたちは例外なく「風がとても冷たかった」ことを覚えている。

「北風（きたかぜ）が強かったから、先生は私たちのことを『北風グループ』と名づけられました」（小渕智子）。

「何がきっかけになって発心（ほっしん）するかわからない」

「学会本部の玄関は北に向かっている。北風に向かって本部から出発していくんだ。みんなも寒風に負けずに進んでいくんだよ」「負けちゃいけないよ」。池田は子どもたちと記念撮影に臨（のぞ）み、一人ひとりと握手し、パンを配（くば）った。

尾本加奈美は十歳だった。「あの日は母に『先生の目の中に吸い込まれそうだった』と言ったことを覚えています」。

「大人になってから未来部の担当になった時、たとえ親御さんが信心に関心がないからといって、子どもにとっては何がきっかけになって発心するかわからない、ということを何度も感じました。

なによりも私自身がそうでした。『池田先生』のことを初めて知ったのは、小学二年生の時に叔母に連れられて初めて行った、未来部の会合でした。私の父が信心に大反対で、母も学会活動には行けない状況でした。それでも何かのきっかけで、子どもの心にスッと大切なメッセージが入ることがあるんですね」

池田と会った日は、母が信濃町まで付き添ってくれた。帰りの電車の中で、加奈美は夢中で母に今日の出来事を話した。母がうれしそうに聞いていたことを今も覚えている。

社会人二年目にさまざまなストレスにさらされ、抑うつ性の神経症になり、闘病の日々を送った。

「『北風グループ』に先生が言われた『退転だけはしてはいけないよ』『お父さんお母さんを大切にしなさい』という二つの言葉は、今に至るまで忘れられません。

自分自身の健康や、家庭の問題。先生は〝人生には、こういうことが起こるものなんだ〟ということをご存じで、私のためにおっしゃっていたんだな、と今になって感じます」

＊

橋本羽姫子（うきこ）も十歳だった。原宿に住んでいた。「北風グループ」の出会いの翌年、母を病（やまい）で亡くす。母の望月達子（さとこ）は四十四歳だった。

羽姫子は五人姉妹の次女である。

「母が亡くなったのは一月でした。一番上の姉が創価女子中学（当時）に通（かよ）っており、三月の卒業式で先生に母のことをお話しする機会がありました」

五人の娘を残してこの世を去った母の思いを、池田は「達子桜」という名前に込めて、長女の羽衣子（ういこ）とともに自ら植樹（しょくじゅ）している。「強く生きなさい。お母さんが見ているからね」と羽衣子に語った池田の一言は、五人姉妹の生きる指針になった。

「私たち姉妹がさまざまな苦境を乗り越えることができたのは、陰（いん）に陽（よう）に、私たちを見守り続けてくださった多くの学会員の皆さんのおかげです。あの時代の経験が私たちにとって〝創価学会の原点〟の一つになりました。学会の活動は必ずしも〝ここまでが活動〟と線を引くものではない、ということを知ったのです」（橋本羽姫子）

その後も池田は、母を亡くした五人姉妹を、折に触れて励まし続けた。

「大学卒業の前に、信濃町の駅前でばったり池田先生にお会いした時、大手メーカーに就職が決まったことをお伝えしました」（橋本羽姫子）

数日後、池田から『忘れ得（え）ぬ同志』が届いた。表紙を開くと、

父の恩　〝母の恩〟
法の恩　〝師の恩〟

と揮毫されていた。あわせて、――結婚が決まったら、この本を持っていらっしゃい。その時にあなたの名前を書き入れましょう――という趣旨の伝言も届いた。

羽姫子は二十四歳の時、脊髄腫瘍を患った。「母もがんで亡くなっていたので、がんに対する漠然とした恐怖感や、死に対するぬぐいがたい絶望感を持っていました。しかし、あの時は不思議なんですが、怖いと思いませんでした。『やった！　出てきた！』『今こそ宿命転換の時だ！』と、心の底から勇気が湧いてきたんです。そういう自分自身に驚きました。ああ、学会活動のなかで強くしていただいたんだ、と感謝の思いすらこみ上げました」。

手術は医師が「感動するほどつるりと（腫瘍が）とれましたよ」と驚くほどの大成功だった。

後年、末の妹の夕芽子が大学を無事に卒業したことを記念して、池田は八王子にある東京牧口記念会館に「望月母桜」と「望月五女桜」の植樹を提案した。

その際、五人に〈母桜　かこみてかおらむ　五女桜　学園姉妹の　歴史をつづりて〉という和歌を贈っている。

＊

東日本大震災からの復興に歩む宮城の気仙沼を訪れたヨーロッパＳＧＩ（創価学会インタナショナル）のメンバー。現地の学会員との交流交歓会に参加し、震災で被災した子も所属する「師子の子うみかぜ合唱団」と、ふれあいのひとときを刻んだ（2018年2月）©Seikyo Shimbun

「北風グループ」には教育の道に進んだ人が多い。白倉隆博もその一人である。「小学生だった私たち全員と握手されたことが、とても印象に残っています。握手した時に『本をたくさん読みなさい』と言われましたね」。

中学、高校と吹奏楽部でトランペットを吹き、大学生の時も音楽活動に関わっていた。「音楽で食べていきたいと思いましたが、それはなかなか難しい。小学校の先生になれば音楽も生かせるだろうと思い、教員採用試験を受けました」。

宮城県で採用され、石巻市に配属された。「それからずっと宮城に住んでいます。二〇一一年の三月十一日は、気仙沼の面瀬小学校の担任をしていました」と振り返る。

地震は六時間目に起きた。「みんなすぐ机の下に隠れました。私は『一分ほどでおさまるよ』と声をかけたのを覚えています。でも、尋常じゃない大きな揺れでした。子どもたちは怖くて声も出なかった」。

緊急放送があり、校庭に出た。雪がちらつく校庭で、おしくらまんじゅうのように皆で肩を寄せ合った。

小学校は、海から一キロほどの場所に立っている。

「『地震があれば津波が来る』ことはわかっていましたから、海から少し離れた面瀬中学まで避難しました。結果的には、小学校から五十メートルのところまで津波が来ました。幸い、児童に被害者はいませんでした。しかし職員で家族を亡くされた方がいました」

児童はそれぞれが別々の場所に避難する。その後の全員の安否確認に三日ほどかかった。ガソリンも足りないので、学区内を歩きに歩いた。

「四月の新学期からは、保護者の方に登校に付き添っていただくことから始まりました。私は学校でつとめて元気にしていました。それでしか、子どもに希望を与えられませんから。まわりはとても大変だけれども、学校は楽しい。教室は楽しい。そういう環境をつくることに全力を注ぎました。

思い出深いのは、やはり池田先生からいただいたメッセージです。聖教新聞に載った『負けでたまっか』の記事も大きかったですね」

白倉は現在、社会教育主事として働き、学会では気仙沼の未来本部長を務めている。

「なすべきことはやりきった」と言える行動を

西東京市に住む吉田幸子は長年、学童保育の仕事に携わってきた。創価学会の支部では未来部を担当している。

「先生と握手した時、私には『みんな〝娘〟と〝息子〟だね』と言われたのですが、ちょうどそのころ、父が信心に激しく反対していました。母が私たちの〝屋根〟になってくれていました。あの一言が心の支えになりました。なにがあっても〝娘〟として恥ずかしくない人間になろう、と」

幸子の姉である小渕智子は、東京の荒川区で未来部担当を務めている。「教員を目指すきっかけは、昭和五十四年の池田先生の会長辞任でした」と語る。

「私は高校二年生でした。あの時、正しいことを『正しい』と言える人を育てたい、と思ったんです」

日本の子どもが、外国の子どもと比べて「自尊感情」（「自分には価値がある」と思う感情）が低いことはよく知られている。智子は演劇教育を通し、子どもたちがこの自尊感情をお互いに認め合う授業に力を注いできた。大田区の矢口東小学校でおこなったワークショップは、専門紙誌でも取り上げられた。

「他にも、お年寄りのデイサービスでの交流は、今では当たり前になってきましたが、早い時期から取り組んできました。大学病院の院内学級にも携わってきました。生老病死の哲学がなければ教育はできない、と痛感することが多くありました」

智子は小学生のころ、池田がよく中国の話をしていたことを覚えている。

「私たちと会われたのは周恩来総理と会見された直後だったのですが、あの時は小学生でしたから、『池田先生は中国に行かれた』という認識があったかどうか……。小学校の教員になってから、演劇教育の文化交流などで中国に行きましたが、たまたま知り合った人に『池田大作という人を知っているか』と尋ねたら、『知っている。中日友好に貢献した人だ』と答えてくれました。

子どものころはわからなくても、大人になるにつれて、どういう時代背景だったのかがわかりますよね。あの時先生は、大変な外交戦の真っただ中で私たちに会ってくださったんだということを知って、『未来をつくる一念』を感じました」

＊

池田が「北風グループ」の子どもたちを励ましたのは、第二次訪中から帰国してまもなくのことだった。

この第二次訪中で、池田が中国の総理である周恩来と会見したことは広く知られている。じ

中国の総理・周恩来と会見する池田。周恩来は「池田会長は、中日両国人民の友好関係の発展はどんなことをしても必要であるということを何度も提唱されている。そのことが、私には、とても嬉しいのです」「中日平和友好条約の早期締結を希望します」と語った（1974年12月、中国・北京）©Seikyo Shimbun

つは、この前後の半年間で池田は、アメリカ、中国、ソ連（現・ロシア）各国の最高首脳と対話を重ねている。

ちょうど「北風グループ」との出会いを挟（はさ）んだ十二カ月の間に、池田は中国を三回、ソ連を二回、アメリカを一回、訪問した。

対話の相手は、それぞれ中国は総理の周恩来、ソ連は首相のコスイギン、アメリカは国務長官のキッシンジャーだった。

当時の国際情勢と、自身の思いを、池田は次のように綴っている。

〈キッシンジャー長官に会う前年（七四年）、私は中国、ソ連を相次（あいつ）いで訪問した。

初訪中（五、六月）の後、初訪ソでコスイギン首相にお会いし（九月）、三カ月後には北京（ペキン）で周恩来総理と会見した。（十二月）

長官にお会いしたのが一月だから、半年の間に、米中ソ三国の首脳と語りあったことになる。冷戦構造の真っただ中であった。中ソの対立も険しかった。

しかし、三首脳にお会いした私の実感は、だれもが真剣に「平和」を念願しているということであった。

三者の「平和」の中身は、それぞれ差異があったかもしれない。首脳として、「国益」を第一にしなければならないことも当然であったろう。

しかし、国益といっても、「人類全体の生き残り」という根本条件が崩れれば意味をなさない時代であることも、三者とも鮮烈なまでに自覚しておられたのである。

私の三首脳訪問は、はからずも、その共通の意思を確認する旅となった。

この共通の思いを、何とか結びあわせていきたい――私は、私の立場で、「自分としてなすべきことはやりきった」と言える行動を決意したのである〉（『池田大作全集』第一二二巻）

ワシントンでキッシンジャーと会ったその日――。

〈小雪が舞うワシントンで国務長官のキッシンジャー氏との会見に臨みました。席上、周総理が日中平和友好条約の締結を望んでいることを伝えると、「賛成です。やったほうがいい」と述べられました。

同じ日、ワシントンでお会いした大平正芳元首相（当時、大蔵大臣）に、キッシンジャー氏の言葉を伝え、条約締結の必要性を訴えると、大平氏は「友好条約は、必ずやります」と答え

られました。その三年後（一九七八年八月）、日中平和友好条約は締結されたのであります〉
（二〇〇七年の「SGIの日」記念提言、『池田大作全集』第一五〇巻に収録）

不信感をなんとか変えたかった

池田は「日中」の橋渡しとともに、「ソ連脅威論」が叫ばれるなか、「中ソ」の橋渡しにも尽力した。緊迫した局面の連続だった。そのやりとりに、何度か言及している。

〈……私の訪ソは批判の嵐を受けた。「なぜ宗教者が宗教否定の国へ」「ソ連を利する行為ではないか」「友好など非現実的だ」等々。

中ソ対立のなか、初訪問したばかりの中国からも訪ソの意図を尋ねられた。

しかし私は思っていた。

「米ソが対立し、中ソが対立し、このままでは世界の民衆はどうなるのか。互いに疑心暗鬼を重ね、未来の世代も第三次世界大戦におびえて暮らさなければならないとしたら、こんな不幸はない」〉（二〇〇三年六月八日付「聖教新聞」）

〈……コスイギン首相に、私は、ずばりと聞いた。

「中国はソ連の出方を気にしています。ソ連は中国を攻めるつもりがあるのですか」

率直が私の身上である。それが相手への敬意だと信じている。

「ソ連は中国を攻撃するつもりも、孤立化させるつもりもありません」

「それを中国の首脳に、そのまま伝えてよろしいですか」

「結構です」

モスクワのクレムリンにある首相執務室。会議用のテーブルの向こう側に、風雪に鍛えられた巌のような顔があった。当時、七十歳。

……私の初の訪ソも最終日を迎えていた。十日間、私なりに、ソ連の人々の平和への悲願を全身で感じていた。その上での質問であった。

この三カ月前、私は中国も訪れていた。北京では地下防空壕にも案内された。緊急避難用に市民がみずから営々と掘ったのである。

浅い所で六メートル、深い所で十一メートル。地下には電話室、放送室、食堂などが備えられ、地下道は全市の街区と結びつけられていた。各家庭、学校からも地下街に通じる出入り口があるという。

「私たちは侵略のために、こんな防空壕をつくっているのではありません。この地下壕は、モスクワまでは掘りません」

中学校では、生徒たちが校庭の下の地下室づくりに励んでいた。戦争が子どもたちにまで影を落としている。痛ましかった。このままでは、かわいそうだと思った。

ソビエト連邦（当時）の首相・コスイギンと約１時間半にわたり会見。「あなたの根本的なイデオロギーは何ですか」とのコスイギンの問いに、池田は「平和主義であり、文化主義であり、教育主義です。その根底は人間主義です」と即答。コスイギンは「その原則を高く評価します。この思想を私たちソ連も実現すべきです」と共感を示した（1974年9月、ソ連・モスクワ）©Seikyo Shimbun

中ソ対立の険しきころである。たがいに非難を投げあい、「ソ連との理論闘争は一万年でも続ける」との声まであった。

一方、中国とアメリカ・日本の接近によって、ソ連の市民も危機感をつのらせていた。おたがいに、侵略の恐怖に、おびえていたのである。

私は、この不信感を何とか変えたかった。ささやかなりとも「対話」への一石を投じたかった〉（『池田大作全集』第一二三巻）

＊

「対立を望まないソ連の意向を、私は中国首脳に伝えた。コスイギン首相とは、翌年にも語りあった。民間人ではあるが、私なりに、中ソの橋渡しをしてきたつもりである」（二〇〇三年十二月のスピーチ、『池田大作全集』第九十五巻）

〈（モスクワの）私の宿舎で、部屋のカギ番をしてくださった婦人も「私の夫も戦争で死んだのです……」と話してくれた。ソ連の人々が、平和を切実に願っていることを、行く先々、私は肌で感じた。

来てよかった。ソ連がこわいと言うが、互いに相手を知らないことは、もっとこわいことなのだ〉（前掲「聖教新聞」）

ジャーナリストの手嶋龍一と作家の佐藤優は、中ソの危機について次のように語り合っている（『米中衝突』中央公論新社、二〇一八年）。

手嶋　キューバ危機のときは、日本はアメリカの同盟国として危機を身近に感じたのですが、中ソ対立については、近くにいながら情勢が十分に理解できず、危機感を共有できていないところがあったのです。

佐藤　あえて紹介すれば、その中ソの間の核の闇をみていた日本人が、少なくとも一人いました。創価学会の池田大作ＳＧＩ（創価学会インタナショナル）会長（創価学会名誉会長）なんですよ。（八十二ページ）

佐藤は創価学会のホームページに載っている記述に触れ、「要するに、コスイギンと周恩来の間に池田会長が入って、仲介していた。中ソの戦争の危機があると思っていたからに他なりません」と指摘。

手嶋が「当時としては、極めて少数派ですね。ただし、その洞察の通り、核戦争の直前まで行ったのは事実です」と応じている。

「三十年先の未来をよろしく」

池田が米中ソの最高首脳と相次いで会った一九七四年（昭和四十九年）、七五年（同五十年）だけをみても、池田の提案をもとに全国各地で「未来会」が結成されている。

七四年は一月の東京（第四期）、静岡に始まり、沖縄（第二期）、長野、北陸、山口、三重、山梨、和歌山、中部（第三期）。

翌七五年は東京（第五期）、第二東京（第二期）、神奈川（第二期）、宮崎、北海道（第三期）、広島（第二期）。

コスイギン、周恩来、キッシンジャー、鄧小平。大国のトップと対話を重ねた、その同じ時期に、池田は無数の子どもたちを励まし続けていた。

第二次世界大戦の激戦地だったグアムでSGIが発足するのも、この七五年（同五十年）のことである（一月二十六日）。

「北風グループ」の子どもたちに会う四カ月ほど前、全国各地の「未来会」の担当者が集まった懇談会で、池田は担当の青年たちに「三十年先の未来をよろしく」と頼んだ。

「北風グループ」を引率していた五島一誠は三十歳だった。彼自身の子ども時代、かすかに記憶に残る〝未来部の原型〟ともいうべき出会いがあった。

中学二年生の時、創価学会本部で戸田城聖に会った。〈それは杉並支部の子どもたちの集まりで、毎日曜、旧本部の二階に集まり、劇や、歌……たのしい時間を過ごしたのを、おぼえている〉（五島一誠の手記）。

この「杉並支部少年少女の集い」で戸田は、吉田松陰と、若くして命を落とした松陰の弟子たちの話をした。

「（高杉晋作も久坂玄瑞も）惜しいことに仏法をもっていなかった」

「みな、勉強して偉い人になりなさい。だけども、親に心配をかけてはいけない」

戸田がにこにこと子どもたちに語りかける様子を脳裏に刻んだ。

時は下り、池田は「北風グループ」の子どもたちに「〝世界一の人〟になりなさい」「君たちは世界一大切な人だから」「創価学会を引き継いでいくんだよ」と語った。

「偉人」や「英雄」について、子どもたちに向けて書いた本で池田は、自らの信条を綴っている。

「本当の偉人とはどういう人をいうのですか」と問われ、こう答えた（『未来をひらく君たち

創価学会の「後継者の日」に集った未来部員に、その成長を祈って鯉のぼりを手渡す池田（1981年5月、東京・八王子市）©Seikyo Shimbun

へ』金の星社、一九七二年）。

〈……私は、偉人とは、歴史の表舞台に立って、聴衆からヤンヤの喝采をあびる人だけをいうのではないと思う。また、もしそれらの人々がいかに優れた指導性を発揮し、新しい時代を築いたとしても、結果として、庶民を戦争に駆り立て、多数の血の犠牲をしいているようなときには、その人は決して、偉人でも英雄でもないと言いたい。

本当の偉人とは――有名でなくともよい。歴史に名が残らなくともよい。いわば、いかなる富、力、技術でも救えない一人の不幸な年配者を両の手でしっかり抱きかかえ、悩みを解決し、救いきっていく――そうした人こそ、真実の偉人であると思うのです。

どれほど文明が発達し、生活が便利になっても、人間としての苦悩はそれで解決されるてものではありません。いや、文明が発達、進歩すればするほど、かえって人々は不幸になっているともいえます。表面的な繁栄に反比例して、現代は、より根本的な、人間としての悩みがあらわになってきたような観があります。そうした時代にあって、隣人の不幸を自分の不幸とし、真に平和で幸福な社会を建設するために立ち上がる人ほど尊い人はない。

私は、次代を担う君たちには、ぜひともそういう人になってもらいたいのです。そしてそのために、今こそ体を鍛え、知識を吸収し、きたるべき日に備えて力を養ってほしいのです〉（『池田大作全集』第六十五巻に収録）

隣人の不幸を自らの不幸とする。かつて日蓮が〈一切衆生の異の苦を受くるは悉く是れ日蓮一人の苦なるべし〉――一切衆生のさまざまな苦悩は、ことごとく日蓮一人の苦である――（御書七五八ジペー）と語った生き方を、池田は自ら歩み、今の言葉に言い換え、共有し、血を通わせていった。

第5章 「この歌を、君に贈ろう」——霧島(上)

ドラマの舞台は九州・霧島。

燃え上がるキャンプファイアの炎。鮮やかな花火の思い出。

集まった子どもたちは歓声を上げた。

ロマンの夏の夜、「未来に生きる人」たちへ池田は何を語ったのか。

そして未来部員たちの父母の人生をたどると、そこにも、池田の知られざる渾身（こんしん）の励ましがあった。

「柿の実公園」のかがり火が、池田大作と子どもたちの顔を照らしていた。運営に携わる青年部スタッフたちも、子どもたちの後ろで息を詰めて池田の話に耳を傾けている。

一九八三年（昭和五十八年）七月二十六日の夕刻、鹿児島――それは四日間にわたった九州未来部（小・中学、高校生のグループ）との語らいの、一日目のことだった（九州研修道場〈当時〉）。

霧島の風に吹かれ、キャンプファイアの炎はオレンジや深紅に色を変えながら揺らいでいる。

この夜、池田は子どもたちに「師弟」の話をした。

＊

岡真弓は十二歳だった。かつて炭鉱の街として栄えた、福岡県の田川で育った。

「それまでは遠くに出かけるといっても、少年少女部の合唱団の練習で通った北九州くらいです。福岡から鹿児島までバスで行くなんて初めてでした」

まだ高速道路も通っておらず、長旅だった。研修の初日は小学生、二日目は中学生、三日目と四日目は高校生が、九州全土から集まる。

子どもたちが集まる前から、霧島の研修道場では壮年部、婦人部、青年部の研修が続いていた。この年は、戸田城聖(創価学会第二代会長)が八女支部旗の授与式に参加するため、九州を訪れてからちょうど三十年の節目だった。

創価学会の九州平和会館(当時)で事務長を務めていた松元耕一郎は、一カ月に及んだこの研修を、裏方の中心者として支えた。

「あの年の霧島には、のべ六万七〇〇〇人が集いました。運営役員だけでものべ一万五〇〇〇人という大きな規模でした」

池田はそのうち一週間ほど参加した。未来部のための四日間は、その期間にすっぽり入っていた。

〝あの出会いが今の九州創価学会を支えている〟といわれる夏の四日間の、歴史と源流。その一端を追った。

花火のリレー

子どもたちは、白い帽子をかぶった池田が拡声器を手に話しかけてくれたことを覚えている。

緊張している子も多かった。池田は「ハロー！」と英語で呼びかけ、「意味わかる？」と尋ねた。「これからは語学が大事になるからね」「君たちは、世界に出るんだからね」。「（未来部担当の）お兄さんが『早く寝なさい』と言っても、『はーい』と返事したら、あとは遊んでいいからね」。そう言って子どもたちを笑わせた。

集まった全員で〝大楠公〟の歌（「青葉茂れる桜井の」）や、海外で完成したばかりの英語の愛唱歌「二十一世紀のマーチ」を歌った。岡真弓たちの合唱団は「月の沙漠」も歌った。

参加者の多くが印象に残っているのは、キャンプファイアでの〝花火のリレー〟である。

池田の前で歌を披露した後、それぞれが花火を手にした。

池田が最初の花火に火をつけた。「先生から火をもらって、『先生からの火よ』と、消えないように順々にリレーしたんです」（岡真弓）。

次々に火の花が咲き、子どもたちのにぎやかな声が響いた。

「広宣流布も、この花火のように、一つの火から燃え広がっていくんだよ」

この時池田が口にした一言を、岡真弓が思い出したのは、九州大学の学生時代だった。「学内で一緒に活動するメンバーが少なかったんです。『一人から始めるんだ』と決めました」。一人ひとりを励ましていくなかで、女子学生部員の数は二倍、五倍、十倍と増えていった。

――花火の後、子どもたちは座り、池田の声に耳を澄ませた。

「……太平洋戦争で、牧口先生（牧口常三郎、創価学会初代会長）は軍部に反対を貫き、牢獄で

創価学会の九州研修道場（当時）**で花火大会を開催。池田がともした花火の炎が子どもたちによってリレーされ、一人また一人と広がっていく**（1983年7月、鹿児島・霧島市）©Seikyo Shimbun

殺された。戸田先生は、投獄から二年で出獄された。

その牧口先生と戸田先生を、皆が誹謗した。『こんな信仰をしたために、ひどい目に遭った』と悪口を言った。

両先生に教わった人たちが、師匠が投獄されるや、このように豹変してしまう。人間の心はおそろしい。何かあると、悪心が出てしまう。

戸田先生は、『牧口先生の仇は討ってみせる』と言われた。そこから、創価学会は出発した。こんな偉い人をなぜ、政治家や軍部はいじめたのか！

――そこから、学会の大前進は始まった」

「仇討ち」とは「一人ひとりの学会員の笑顔」である

――仇を討つ。戸田城聖はこの一言にどのような思いを込めたのか。かつて池田は、戸田とともに読んだ小説『モンテ・クリスト伯』を通して語ったことがある。

日本では「巌窟王」のタイトルでロングセラーになった、アレクサンドル・デュマの名作。戸田は、無実の投獄や、裏切り、報恩のドラマが詰まったこの「巌窟王」をこよなく愛した。恩師・牧口常三郎と生き抜いた日々を小説『人間革命』で描いた時、自分がモデルの主人公を「巌九十翁」と名づけている。

――『モンテ・クリスト伯』の主人公エドモン・ダンテスが苦境に陥った時、唯一、手をさしのべてくれた船主がいた。ダンテスは、彼とその家族に、どう接し続けたか。池田はそこに「仇を討つ」という言葉の真意を見る。それは、世間一般でいわれる「復讐」のイメージとは異なるものだった。

「……ダンテスはその後もずっと、この気高い心の船主一家が、子どもたちまで、皆、幸福に暮らせるよう、人知れず、命がけで尽くし続ける。

まじめで善良な一家が、幸福に、勝ち栄えていく晴れ姿を、忘恩と背信の悪人たちに見せつけていく――報恩の行動それ自体が『正義の仇討ち』であった。

戸田先生は、〝学会員の福運あふれる姿こそ自身の勝利〟と決めておられた。先生は宣言された。

『（＝わが学会同志に）功徳をうけきった生活をさせてみたい。全世界にむかって、どうだ、この姿は、といわせてもらいたい』

『一人として、功徳をうけない者はない、みな功徳をうけているという、私は、御本尊様との（＝信心の）闘争をいたします』（『戸田城聖全集』第四巻）

私も、まったく同じ決意である。わが同志の晴れやかな顔こそ、学会の勝利と栄光の証

フランスを代表する文豪アレクサンドル・デュマの名作『モンテ・クリスト伯』など、戸田城聖は池田をはじめとする青年たちに多くの小説を読ませ、宗教革命を目指して議論を交わした ©Seikyo Shimbun

である」（二〇〇一年三月のスピーチ、『池田大作全集』第九十二巻）
師匠の命を奪った国家権力に対する「仇討ち」とは、「一人ひとりの学会員の笑顔」である――この心を、池田は霧島に集まった子どもたちに語った。
岡真弓は「まだ『人間革命』も読んでおらず、戸田先生の歴史もよく知りませんでした。小学生にとっては難しい話でした」と振り返る。
「でも大人になってから、話された内容を思い出しました。あのキャンプファイアがあった昭和五十八年は、先生の会長辞任に至った第一次宗門事件の後です。あの時期に、まだ何者でもない小学生の私たちに対してどれほど真剣に語っておられたか。その意味の深さを感じました」

＊

キャンプファイアで池田は「羊千匹より獅子一匹」の話もしている。

「……私が少年のころ、桜の木を植えたいな、と思ったことがある。そして十万本の桜を植えた。

少年時代に『これだけは絶対に成し遂げよう』と思ったことを、私はやった。

『（広宣流布における）日本中、世界中の難を一人で受けよう』――受けきった。

何かあるとフラフラする。自分の立場を考える。いざという時、臆病になる。そんな人になってもらいたくない。それでは『羊』だ。『獅子』ではない。

夏の夜空のもと、九州研修道場内の「柿の実公園」で少年少女部員が合唱。池田は熱演を称え、〝負けない人生を〟と語りかけた（1983年7月、霧島市）©Seikyo Shimbun

どんなにつらいことがあっても、退(ひ)かない。御本尊を、師匠を疑(うたが)わない。自分の目標は必ず果たしてみせる。これが、学会の伝統である」

「あのキャンプファイアでは池田先生が『戸田先生は桜がお好きだった。桜を植えることで、私は戸田先生との約束を果たしたんだよ』とおっしゃったことも忘れられません」

と岡真弓は語る。学会の九州女子部長などを歴任し、いまは博多の婦人部リーダーの一人として活動している。

霧島では、こんなことがあったよ――研修が終わり、田川の家に戻ってきた真弓の話を聞いて、わがことのように喜んだのは母の静枝だった。

涙の「妹」を励ます「兄」

米家静枝は十七歳の時から、六人の弟や妹に「ママねえちゃん」と呼ばれてきた。父は出稼ぎで大阪に出かけていた。

「お母さんが交通事故に遭った」と静枝が聞いたのは、一九六四年（昭和三十九年）の師走のことだった。〈（母は）一時間前には笑顔で送り出してくれたのに、私はどうしても信じる事が出来なかった〉（米家静枝の手記）。

遺された七人きょうだいのうち、一番下の弟は一歳だった。母のなきがらを前に、おっぱいを探して泣き、葬儀の後は母の姿を探して泣いた。

六人の弟と妹を、私が育てなければならない。まだ子どもだが、母でもある「ママねえちゃん」の闘いが始まった。

朝五時半に起きて勤行、七人分の朝食の準備、そして働きに出る。

〈十七歳の私は、乳飲み子の弟をおぶって、雨の日、風の日、雪の日と歯を食いしばって折伏に部員指導に励みました〉（同）

信心しているのに、なぜ。苦しい家計に絶望がよぎることもあった。静枝の手記には〈母は幼い頃、祖母をなくし、また私も同じ人生の道を進もうとしている〉という一文もある。いのちが疲れ果て、何度か幼い弟をおんぶしたまま国鉄（現・JR）の踏切に飛び込もうとした。我に返り、家に戻って題目をあげ、気がついたら夜が明けていた。

九州を訪れた池田から静枝が励まされたのは、そんな〝生活の闘争〟が続く最中だった。

「母がよく言っていたのは、私は女子部の時、池田先生から『人生の並木路』という歌を教えていただいたんだ、つらい時にはこの歌を歌うんだよと励ましてくださった、という話でした」（岡真弓）

ディック・ミネが歌った「人生の並木路」は、一九三七年（昭和十二年）に発表され、当時の日本人で知らない人はいないほど大ヒットした流行歌である（作詞＝佐藤惣之助、作曲＝古賀政男）。戸田城聖が三十七歳、池田が九歳の年だった。

それは、故郷を後にして、苦労を重ねる兄と妹の物語である。

〈泣くな妹よ　妹よ泣くな
泣けば幼い　二人して
故郷を棄てた　かいがない〉

池田は女子部の会合に贈ったメッセージで、この歌の思い出に言及している。

〈……最近、会員の皆さんが少しでも喜んでもらえるならば、という気持ちで、つたないながらもピアノを弾くことがありますが、女子部の方がある場合に「人生の並木路」の曲を贈っています。

この歌は、私が戸田先生のもとで、青年部の幹部の一人として戦っていたころ、当時の女子部員とともに歌った思い出深い歌なのです。

当時の女子部員は、みな貧しかった。不幸な境遇の人が多かった。暗く寂しい夜道を泣きながら歩いていくような人生を送っている女性がほとんどでした。

しかし、私たちには御本尊がある。戸田先生がおられるではないか。私たちの未来は希望の光輝く桜の並木道に通じているのだ——そういう心情を込めて歌ったのです〉（一九七七年二月、大阪で行われた女子部総会）

池田が第三代会長に就いた時、日本の社会は太平洋戦争が終わって十五年の節目を迎えていた。

それは、戦争で父を亡くし、母を亡くした子どもたちが大人になり、社会人になっていく時代だった。池田は「大阪事件」の裁判闘争を続けながら、戸田亡き後の創価学会を背負い、会長として全国を回った（潮ワイド文庫『「民衆こそ王者」に学ぶ　常勝関西の源流』に詳述）。

それは「暗く寂しい夜道を泣きながら歩いていくような人生」を送っている、数えきれない人々を励まし続ける旅でもあった。かつての炭鉱街、田川で悪戦苦闘を続ける「ママねえちゃん」の米家静枝も、そのなかの一人だった。

池田が初めて福岡市を訪れた時も、女子部員との懇談会でこの歌が歌われている（一九五六年十一月二十二日）。

このとき池田は手元の御書（日蓮の遺文集）をめくり、次の一節を引いた。

〈叶ひ叶はぬは御信心により候べし全く日蓮がとがにあらず〉（日厳尼御前御返事、一二六二ページ）——あなたの願いが叶うか叶わないかは、あなたの信心によるのである。まったく日蓮のせいではない——

「結局、自分の信心の姿勢で、願いは叶うんだよ。短いけれども大事なところだから、覚えておきなさい」

「女子部は教学で立ち、必ず幸せになるんだよ」

「一番弱くて、貧しくて、疲れている人を、学会は守り抜く」

「人生の並木路」の二番の歌詞。
〈遠いさびしい　日暮れの路で

泣いて叱った　兄さんの
涙の声を　忘れたか〉

大分の佐藤一恵は、学会の「大分支部」が誕生した日、池田との短い懇談の場でこの歌の一番と二番を歌った。その思い出を手記に綴っている（一九六〇年十二月四日）。

二十六歳の一恵は、ちょうど大分で創価学会の職員になったばかりだった。

池田から「ご両親は元気？　ご家族は信心しているの？」と尋ねられ、一恵は「父は他界しました」「兄夫婦の家に世話になっていますが、信心に大反対しています」と答えた。

「……苦労しているんだね。お父さん、お兄さんの代わりを、ぼくがしてあげるよ。困ったことがあったら、何でも言うんだよ」。池田は一恵と握手を交わし、「何もないところから始める仕事は大変だろうが、七年間、がんばりなさい。約束だよ。〝大分の礎〟になるんだよ」と励ました。

そして「皆で歌おう」と促し、「人生の並木路」を歌った。

「この歌を、君に贈ろう。どんな時でも、この歌を歌ってがんばるんだよ」。そう言って、一恵に大きな柿を二つ、リンゴを一つ手渡した。

これまで池田は大分を九回訪れている。一恵は後年、折々の出会いを振り返り〈今までも何回となく不思議に思ってきたことは、いつでも私がしていることを見ておられるかのように、先に言葉にして激励してくださる〉と綴っている。

　ある時、大分の県立体育館を借りて、池田を迎えての大きな記念撮影会が行われた（一九六八年五月二十日）。〈撮影当日を迎えるために、一週間前から男女青年部は夜、体育館の清掃から始めた〉（佐藤一恵の手記）。

　一恵は清掃の責任者として腕を振るった。とくに汚れていたのがトイレだった。

〈……青さび、黒さび、水垢を金属のたわしで一週間、気の遠くなるような悪戦苦闘の末、ようやく金具の一部が見えた時は何とも言えない喜びが。互いにもう一歩と声をかけあっていた〉。

　当日、式次第は無事に進んでいった。途中、トイレに足を運んだ池田は、運営スタッフとして忙しくしている一恵に「磨くことは、人も磨かれるんだよ」と声をかけている。

〈先生の言葉の意味はすぐにはわからず

7000人が参加した創価学会・大分支部の結成大会に出席。池田は〝信力・行力で人生の四苦八苦を乗り越え、金剛不壊（こんごうふえ）の生命を築こう〟と呼びかけた（1960年12月、大分市）
©Seikyo Shimbun

……後日、後片付けと御礼をかねて体育館に行き、館長さんに話を聞いた。
「創価学会さんに使うてもろうたら、大掃除をしてもらい、本当にきれいになってうれしいです。また、池田さんも丁寧にご挨拶してくださる。なんとも学会は清々しいですね」と。
私はやっと、先生の言葉の意味がわかった〉
一恵は若き日に聞いた「一番弱くて、貧しくて、疲れている人を、学会は守り抜く」という池田の言葉を胸に、大分の地で生き抜いた。

「母がいつ寝て、いつ起きたのか、知らなかった」

福岡市の吉村良子。ある会合で「人生の並木路」を歌った（一九五八年八月）。二番の「泣いて叱った兄さんの……」にさしかかった時、「そうだ」とうなずいた池田の言葉を記している。

「うん、そうだ。（この歌詞は）かわいい妹に、兄さんが叱って、激励しているんだよ」。

この時は、池田にとって六度目の福岡訪問だった。戸田城聖がこの世を去って、まだ半年も経っていないころである。福岡市内の懇談の場で、自らの生い立ちや戸田との出会いを語った。

「ぼくの家は貧乏なノリ屋で、五男坊なんだよ。兄はビルマ（現・ミャンマー）で戦死した。だけど、心ひそかにその兄の帰りを待っているような母の姿が、何となく寂しく、痛ましかっ

創価学会の九州幹部会の席上、この日に結成された九州少年少女合唱団が「うれしいひなまつり」や「三百六十五歩のマーチ」を披露した。彼らから贈られた金色の紙の兜（かぶと）をかぶり、歌声に耳を傾ける池田（1969年3月、福岡市）

た。

夜はね、裸電球の下で縫い物をしていた。朝、ぼくが起きてきた時には、もう食事の用意もできて待っていてくれた。その時は、もう母は浜へ出て一仕事終えて帰ってきていた。いつ寝て、いつ起きたのか、知らなかった。体の弱いぼくをどれほど心配し、励ましてくれたことか」

「肺病になって喀血して、ベンチに座って、もうダメなんだなあと思う時もあった。

十九歳、そのとき戸田先生に拾っていただいた。……大八車を引いて働いたこともある。人が眠っている時も一生懸命働いた」（吉村良子の手記から）

池田がこの話をした翌日、八女から福岡に駆けつけた猪股和子も、皆で「人生の並木路」を歌っている（一九五八年八月二十二日）。

「学会の九州本部（当時）で、会合の合間に数人で懇談していただきました」（猪股和子）

その二日前、池田は日記（八月二十日）に綴っている。

〈十六日からの——長野方面、諏訪方面の指導より帰る。本日、特急「つばめ」にて、一転——関西へ、そして九州へ。先生とのお約束だ……私は遂に戦い始めたのだ。鹿児島、桜島——宮崎指導へ〉

〈とくに青年部の嬉しそうな顔、顔、顔……。この純粋なる後輩のためにも、われわれは闘うぞ〉（『池田大作全集』第三十七巻）

「お嬢さんはいくつ?」と聞かれ、「はい、十六歳です」と答えた猪股和子に、池田は「お父さんは?」「お母さんは?」と尋ねた。

「父は戦死しました。母は班担（班担当員、現・白ゆり長）でがんばっています」

——和子が生まれたばかりの時、まだ内地にいた父は一度、赤ちゃんの顔を見に帰ってきた。

「私はやせ細っていたので、父は『育ちきらんかもしれんね』と心配していたそうです。父はその後、ビルマに行きました。敗戦まで戦って、日本に戻る途中で、病死だったそうです」（猪股和子）

和子の父が命を落としたのは一九四五年（昭和二十年）の十二月。日本の降伏から四カ月後のことだった。

「じつは、私のおじさん——父の兄も戦死しました。おじさんの奥さんは病死。遺されたおじさんの子どもたちを、私の母が養子として引き取り、私と一緒に育てました」

「生きてゆこうよ希望に燃えて」

日本は一九三一年(昭和六年)から十五年間にわたり、中国と、そしてアメリカをはじめとする連合国と戦争を続けた。

太平洋戦争における日本軍の総戦死者のうち、じつに九割が、四四年(同十九年)から敗戦の四五年(同二十年)までの、わずか一年半に集中している。その多くがいつ、どこで死んだのか正確にわからないままである。

和子は高校には行かず、手に職をつけるため洋裁学校に通っていた。この日、着ていた白いブラウスも、夜なべをして自分で縫い上げたものだった。

「……親のない子はかわいそうだ。『人生の並木路』を教えてあげよう」。池田は和子にそう言って、その場にいた皆で繰り返し歌った。

悲しい歌詞が続く一番と二番がよく知られているが、三番からは「春」や「希望」が歌われる。

〈雪も降れ降れ　夜路のはても
やがてかがやく　あけぼのに
わが世の春は　きっと来る〉

〈生きてゆこうよ　希望に燃えて
愛の口笛　高らかに
この人生の　並木路〉

陽は、昇る。きっと、春は来る。だから、生きよう。生きていこうよ。池田は折に触れて、この詩に自らの思いを託した。

「東京に来たら、ぼくのところへ来るんだよ」「退転する時は、ぼくのところへ来るんだよ」。福岡の懇談でも、池田はそう言って女子部員たちを励ました。

十六歳だった猪股和子にとって、人生が音を立てて変わった瞬間だった。

〈父を知らない私は、親に会えたような温かい心になり、涙、涙で顔はくしゃくしゃでした〉と書き残している。この日の日記には〈何もかもうれしい〉〈本当にこの喜びをどうかして伝えたい〉と綴った。

その後、和子は二十歳で母のセツエを亡くす。交通事故だった。近所の人が「変な宗教をするから親も死んで」と和子を罵り、「学会が」「学会が」と悪口を言い、こちらから挨拶しても無視されるひどい状況が続いた。

「でも、私は平気だったんです。たとえ両親がいなくても絶対に幸せになれる、という思いは揺るがなかった。先生との出会いが原点になりました」

セツエの死を知った池田は和子に写真を送った。写真の左下に〈大作〉と記されてあった。和子はその裏に〈妙法の　広布の旅は　遠けれど　共に励まし　共々に征かなむ〉という戸田城聖の和歌を書き込み、自らの決意とした。

女子部の本領は底抜けの明るさ

〝一人〟への励ましは続く。和子は二十四歳の時、約束どおり東京で再び池田に会った。「女子部の部隊長の懇談会でした。六十人ほどの参加者のうち、九州からは三人でした」。

兄が信心しないことを悩み、池田に質問した。

「そうか。口やかましく言っちゃいけないよ」。池田は「困った時は、自分がお題目をあげなさい。みんなもそうだよ。（口やかましいと相手が）嫌になっちゃうよ」「親が信心しない場合も、口やかましく言っちゃいけない」と諭した。

「先生から『顔色がよくないな』と言われまして、『胃潰瘍です』と答えました」

池田は和子に、三つの指針を守るように話した。

一つめ――おいしいものをたくさん食べて、

二つめ――お題目をしっかり唱えて、

三つめ――遅くとも夜の十二時には寝なさい。

和子は「はい、努力します!」と答えた。池田は「努力します、じゃない。寝るんだよ」と念を押し、「九州に行ったら懇談しよう」と励ました。

結婚することを伝えたのは、二年後の久留米だった。池田は「健康的になったね」と喜び、「結婚するんだったら、バラの花がいいね」と言って、赤いバラを一輪、手渡した。

和子は久留米の地で、学会活動の最前線に立ち続けた。夫との間に子どもを四人授かった。はじめの二人は、生後まもなく息を引き取った。長男は生後一週間、次男は生後七時間の命だった。三人目の女の子と、四人目の男の子を無事に育てあげた。

「先生は私たちに『信心を持続していけば、こわいほどの幸せになれるよ』と言われました。『学会の中で生きなさい。離れちゃいけないよ。信心はこんなにすごいのか、と必ずわかる時が来るよ』と。私はそのとおりだと思います」

七十七歳の和子は穏やかな笑みを浮かべて語る。

「学会員にとっては、周りの人と仲良くできることも〝自分の革命〟ですね。あの人は好かん、

九州総会の意義を込めた創価学会の本部幹部会の席上、学会歌「青年よ広布の山を登れ」を歌い上げる未来部（小・中学、高校生のメンバー）と青年部（2018年7月、福岡市）©Seikyo Shimbun

じゃなくて、みんなをいとおしく思えるようになると、自分も大事に思っていただける。池田先生がどういう思いで生きてこられたのか、まだまだつかめていないなと、つくづく思います。自分の人間革命で、親戚も、社会も、みんなを幸せにしていく。一緒に幸せになっていく。私は今も、その闘いの最中です」

＊

池田は〈（「人生の並木路」の）四番の歌詞が大切です〉と訴えている（前掲の女子部総会へのメッセージ）。

〈どのような苦難にも、不遇の家庭環境にも、宿命の嵐にも泣かず、くじけぬたくましさ、健気さ、そして、そのなかに希望を絶対に失わずに突き進んでいく、底ぬけの明るさこそ、学会女子部の本領ではないかと思うのであ

ります〉

池田とともに、「くじけぬたくましさ」で生きてきた女性たちが、やがて未来部を担当し、育った子どもたちが夏の霧島へ、池田のもとへ集った。

第6章
〝不退（ふたい）の原点〟をつくる日々――霧島㊦

池田の周りには、いつも青年が集まる。多くは、悩みを抱えながら、歯をくいしばり信仰を貫いている人たちだ。

池田は、実（み）をつけるまで八年かかる「柿」の種を例に語る。

「諸君は『種』になるんだ。『実』は他の人に食べさせてあげるんだ」

苦労の多い青春の意味を知った青年たちが、師の魂を地域へ、未来へ伝えていく。

の準備で走り回っていました」

「柿の実公園」を一望できる窓から見た光景が、松元耕一郎は今も忘れられないと語る。

「ちょうどあの日の翌日には、夏の研修で最も大きな会合が控えていて、私はその準備で走り回っていました」

　一九八三年（昭和五十八年）の七月二十六日夕刻、鹿児島の九州研修道場（当時）――研修会は佳境を迎えていた。一カ月に及ぶ日程で、九州全県から六万七〇〇〇人が霧島に集まった。松元は全体の運営の責任者だった。

「毎日、午前と午後に勤行会を行うのですが、多い日は午前と午後に二〇〇〇人ずつ迎え入れます。一日あたりの運営スタッフは六〇〇人ほどです」

「絶対無事故」を目指し、無我夢中の一カ月だったという。松元たちが作業していた旭日道場という建物は、少し高台にあった。「窓から、数十メートル先の公園がよく見えました。子どもたちが池田先生を囲んで懇談が始まりました」。

この日から、四日間の未来部（小・中学、高校生のグループ）の研修も始まっていた。

不意に、公園の脇から二十発ほどの打ち上げ花火が次々にあがった。子どもたちの歓声が夜空に広がる。館内のスタッフも思わず作業の手を止めた。

「打ち上げ花火の後、先生が手持ち花火に火をつけて、そばにいた小学生の花火に火を移されたのですが、二人、三人と花火が広がっていく様子を先生がうれしそうにご覧になっていました」（松元耕一郎）

「真実の話を、真実の後輩に、私は言っておきましょう」

古代中国に「星火燎原」という言葉があった（『後漢書』）。かすかな星の光のように小さな、たった一つの炎から、とめどなく広がっていくたとえである。「私たちは先生から『燎原の火』の話を何度もうかがってきました。あの花火を通して、先生は子どもたちに〝広宣流布の方程式〟を直接伝えようとされている。私はそう感じました」（松元耕一郎）。

これまで池田は、この「燎原の火」のたとえを通して、フランス革命を描き（『革命の若き空』集英社刊、『池田大作全集』第五十巻に収録）、古代インドの時代、舎衛城（シュラーバスティー）という町で「仏法というものが、権力でも財力でもとらえることのできない人間の心を、見事に動かしていった」様子を論じ合っている（『私の釈尊観』文藝春秋刊、前掲全集第十二巻に収録）。

また、ラテンアメリカ解放のために命を捧げ、志半ばで倒れた詩人ホセ・マルティ。池田はキューバにある彼の記念館を訪れた時の思いを、次のように書いた。

〈……私は記念館で、こみ上げる思いを、こう記した。

偉大なる人には
大きな嵐の如き難がある。
しかし　その人には
永遠なる栄光と勝利と名誉が
太陽の如く　悠久に
赫赫と　昇り輝いていく
必ず　それは必ず

……一人の英雄の魂の炎は、幾十人、幾百人、幾千万人の分身に必ず点火され、燎原の火のごとく広がりゆくことを私は信じている〉（池田のエッセー、前掲全集第一二二巻）

池田が繰り返してきたこの〝方程式〟は、かつて日蓮が綴った手紙に明言されている。

キューバ共和国ハバナ市内の革命広場に立つホセ・マルティ像に献花するため、儀仗兵（ぎじょうへい）に先導され文化大臣のハルトとともに歩みを進める池田（1996年6月）。2泊3日の滞在中、池田は国立ハバナ大学で記念講演を行い、国家評議会議長のフィデル・カストロと会見した ©Seikyo Shimbun

〈日蓮一人はじめは南無妙法蓮華経と唱へしが、二人・三人・百人と次第に唱へつたふるなり、未来も又しかるべし、是あに地涌の義に非ずや〉（諸法実相抄、御書一三六〇ページ）

「地涌」とは、「法華経」に登場する仏菩薩のなかで、最も重要な「地涌の菩薩」を指す。彼らは釈尊の後を継ぎ、釈尊亡き後の世界に仏法を広めていく。

＊

研修一日目の小学生に続き、二日目は中学生が九州各地から集まった。一日目と同じように「柿の実公園」で池田の話を聞いた。

「先生の姿が明かりに照らされていた光景をよく覚えています」。そう振り返る岩橋英子は、佐賀に住む中学三年生だった。

英子の母、佳子は満州（現在の中国東北部）で育った。太平洋戦争で日本が敗れた後、一家は暴力の波に翻弄された。

佳子は九人きょうだいだった。満鉄（南満州鉄道）で働いていた姉は、日本の敗戦後、職場の同僚たちとともに自ら命を絶った。戦後は、中学生の時に母親を亡くし、兄も病死し、弟と妹を学校に行かせるために働きずくめの毎日を送らざるをえなかった。

「母は『人生はまったく楽しいものではない』と固く思っていたそうですが、創価学会員の父と出会いました。子どものころに母から聞いた〝信心してから『生きていること自体が楽しい』と思えるようになったのよ〟という話が印象に残っています」

「あの研修の夜は、当初の予定が変更になり、池田先生が『楽しい思い出をつくってあげよう』と提案されて、運営役員の方々が知恵を絞られて、山道で〝肝試し〟をすることになりました」と岩橋英子は語る。

出発の前、池田から「怖くなったら、皆で学会歌を歌いながら帰ってくるんだよ」と伝言が届いた。

肝試しから大騒ぎして戻ってきた子どもたちを、池田と妻の香峯子が出迎えた。そのまま野外研修が始まった。

池田の師、戸田城聖（創価学会第二代会長）はかつて〈やぶれても　つかれ果てても　旗もちて　馬前に死なん　強者の身は〉という和歌を詠んだことがある（一九四九年）。池田は、自分もこの戸田の心と同じ心で生きてきたことを語った。

創価学会の九州研修道場で、「田原坂」の剣舞を披露した高校生たちに池田は木刀を贈った。夏の木漏（こも）れ日のなか、〝諸君は、今は無名だが、未来には必ず飛翔し、見事な勝利の姿を示してくれると信じている〟と励ました（1983年7月、鹿児島・霧島市）©Seikyo Shimbun

また、第三代会長に就任した日、妻の香峯子が「今日から、わが家には主人はいなくなったと思っています。今日は池田家のお葬式ですから、お赤飯は炊いておりません」と決意を告げた思い出も話した。

結婚を決める前、二人は次のような会話を交わしている。

〈……私は聞いた。生活が困窮していても、進まねばならぬときがあるかもしれない。早く死んで、子どもと取り残されるかもしれない。それでもいいのかどうか、と。彼女は「結構です」と、微笑みながら答えてくれた〉（『私の履歴書』日本経済新聞社刊、前掲全集第二十二巻に収録）

若い時から体が丈夫でなかったことにも触れた。

「私も三十歳、三十一歳、三十二歳、三十三歳

……いつまで生きられるか、全力投球で来ました。

戸田先生のために、学会のために『よく今年も生きられた』『よく今日も生きられた』。こういう峻厳な一日一日を刻んでまいりました。真実の話を、真実の後輩に、私は言っておきましょう」

佐賀の嬉野町（当時）から参加した英子にとって、池田に会ったのも初めてであり、聞く話も初めてのことばかりだった。

「難しい話でしたが、まだ中学生の私たちを、心から信じて話してくださっていることが伝わりました。そう感じたことを、今でも思い出します。あの出会いがあったから、厳しい宿業に直面しても負けずに戦ってきた人が、私たちの仲間にはたくさんいます」

「感傷の別れはなし。私は、永遠の旅をしているんだ」

「柿の実公園」の懇談には、ブラジルＳＧＩ（創価学会インタナショナル）の青年たちも参加していた。

ラテンアメリカ諸国のうちで、最も多くのメンバー数を擁するブラジル。しかしこの時期、軍事政権の壁に阻まれ、池田が訪問できない状態が続いていた。この夏は、のちに「ブラジル

はるばるブラジルから研修会に参加した青年たちに語りかける。池田は求道の彼らを「ブラジル霧島会」と命名した（1983年7月、霧島市）©Seikyo Shimbun

の十八年の空白」と呼ばれる時期の、十七年目にあたっていた。

先の見えない、最も苦しい日々を過ごすブラジル青年部を、池田は霧島で出迎え、連日、懇談の機会を設けた。日本の小学生との語らいにも、この日の中学生との語らいにも、彼らを招いた。

子どもたちが歌を歌えば、ブラジル男子部がドラムに合わせてサンバを踊り、日本語とポルトガル語が飛び交（か）うひとときになった。

*

野外の懇談が終わり、ブラジル青年部との懇談は屋内で続いた。何人かのメンバーは涙をこらえていた。この夜が明ければ、飛行機に乗って軍事政権下の祖国に帰る。池田は「感傷（かんしょう）の別れはなし。私は、永遠の旅をしているんだ」と語り、はなむけにピアノ演奏をけた。

贈った。

「熱原の三烈士」「厚田村」「荒城の月」。弾き終えた池田は立ち上がり、外していた眼鏡をかけた。

創価学会の九州婦人部主事などを歴任した内田智香子は、その時の様子を書き残している。

〈(ブラジルの)青年たちもぱっと立って、先生を取り巻いた。……何かお読みになるのかと思った途端、しっかり眼鏡をかけられた先生が「皆をしっかり覚えておくからね」とおっしゃられ、真剣な食い入るような目で、一人ひとりと、しっかり握手を交わされた〉

池田は全員の顔を目に焼きつけた。

〈「明日、帰るんだね。元気で頑張るんだよ。祈っているからね」と、もう一度皆を見つめられ、先生は去っていかれた〉

翌一九八四年(昭和五十九年)、池田はこの夏にブラジルの青年たちと交わした約束を果たす。当時の大統領の招聘を受けて、十八年ぶりにブラジルの大地を踏んだ(単行本『民衆こそ王者』第七巻に詳述)。

あの夏、ブラジルから霧島に駆けつけた青年部三十八人に池田は「ブラジル霧島会」と名づけた。今日まで一人も欠けることなく、ブラジル各地で活動に励んでいる。

「陰の存在を見逃すな」「陰の人を大切に」

野外研修に参加した中学生たちは、池田と会った「柿の実公園」にちなみ、「柿の実グループ」として今も節目に集い合う。

この「柿の実」という名を冠したグループには、〝先輩〟がいる。池田自身が「柿の実党」と名づけた、鹿児島の男子部メンバーである。

その一人、椎津規代美は、九州の未来部が霧島に集まった一九八三年（昭和五十八年）の夏、運営スタッフの「すぐやる課」を率いていた。未来部メンバーと池田の出会いの場を含め、あらゆる会合の準備に奔走した。

「公園の脇から打ち上げ花火をたくさんあげた時は、とにかく蚊が多いからね、足元に蚊取り線香もたくさん用意しましたよ」と笑う。花火の煙が予想以上に多く、皆の視界が悪くなった時は、公園の木の上から投光器を照らして安全を確保した。

「先生はよく『君たちは〝何でもやる課〟だな』と言われました。学会の会合役員は陰の存在でしょう。研修会の間中、目立たないように、汗だくになって動き回っていましたが、おまんじゅうをいただいたり、飲み物をいただいたり、『すぐやる課』に対する先生からの心遣いがとにかく多かった。多い時は一日に四回も五回も届くんです。男子部や学生部の若いメンバーがビックリしていました。

それまで学会活動のなかで『陰の存在を見逃すな』『陰の人を大切に』と教わってきましたが、『ああ、先生ご自身がそういう方なんだ』と、肌身で感じました」

「私自身が先生とキャンプファイアを囲んだのは、その十一年前のことです」

*

それは、「言論出版問題」の嵐がようやくおさまったころだった。鹿児島の県体育館で、池田と代表四〇〇〇人の記念撮影会が行われた（一九七二年九月七日）。

「皆さーん、お元気でごわすか？」と池田が呼びかけ、場は一気に和んだ。撮影は十五回に分けて行われ、無事故で終わった。

〈最後の男女青年部の撮影が終わると、青年部は先生を囲み「田原坂」を大合唱しました。……汗だくで熱唱する男子部員の顔を、先生がおしぼりでそっと拭ってくださる場面もありました〉（山田三朗の手記）

その直後、場内や場外で忙しく動いている整理役員たちに伝言が飛んだ。

「『きょうの整理役員の皆さんを全員、霧島の研修所に招待します』という先生の伝言でした。あんなに驚いたことはありませんでした」。役員の副責任者だった藤田泰洋は述懐する。現在は社会福祉法人を立ち上げ、障がい者の自立支援に力を尽くしている。

「今日はごくろうさん」——九州総合研修所（当時）で、一緒に湯船につかり役員のメンバーの労をねぎらう池田（1972年9月、霧島市）©Seikyo Shimbun

鹿児島創価学会の総県主事を務める高田橋幸雄は、この日、場外の誘導の責任者だった。

「じつはあの日は、記念撮影が始まる前に雨が降りましてね。会場の外に立っていた私たちはずぶぬれになった」と笑う。

「場外担当だった私たちから順番に、九台ほどのバスに乗って霧島に向かいました」

地頭方匡も一番乗りのバスに乗った一人である。当時は「鹿児島新報」の写真記者をしていた。

「初めに到着した私たちは、先生と一緒に風呂に入りました。みんな緊張しちゃって、どうやって服を脱いだか覚えていない」と笑顔で語る。

湯船で待っていた池田は、学会歌を歌おうと促した。「では、私が指揮を！」と意気込んで立ち上がった青年を、池田が「お湯の中で、指揮はいいよ」と止めて、湯煙のなかに笑い声が響いた。

「先生は私たちと湯船につかりながら、『男は二十代、三十代で偉くなるんじゃないよ。五十代になってから花が開けばいいんだ』とも言われました」（地頭方匡）

「果実」は他の人に 諸君は「種」になれ

風呂から上がるとレモンジュースやおにぎりが用意されていた。行事の「絶対無事故」を祈り、一日中動き回った体に沁みた。
「整理役員というものは〝裏方〟で〝陰の存在〟ですから、まさかこんなに先生が心を尽くして歓迎されるとは思ってもいません。まるで〝竜宮城に来た浦島太郎〟のような気分でした。公園では地元有志の『霧島会』の方々がキャンプファイアを準備してくださいました」（藤田泰洋）
「広場は建物から外に出て一五〇メートルほど歩いたところでした。皆で先生と一緒に歩きました」（地頭方匡）
県体育館を出た後続のバスも、桜島を望む海沿いの道を急ぎ、次々に到着している。役員全体の責任者だった山田三朗は、夜空に満天の星が敷き詰められていたことを書き残している。

「あの日の虫の音と星空は忘れられんね。私たちのために大きな鶏飯のおにぎりを握ってくださり、キャンプファイアを準備してくださった地元の『霧島会』の方々に深く感謝しております」（高田橋幸雄）

キャンプファイアを囲んで、懇談が始まった。池田は「きょう、ここに集ったグループに名前をつけよう。〝柿の実党〟はどうだ？」と切り出した。

＊

「柿は、実をつけるまで八年かかる。八年の間、あらゆる困難にぶつかっても、悠々として、生きのびてくる。

また、その種子は二つに割ると、もうその中に、苗としての姿を見ることができる。諸君は、この種子になりなさい」

池田は「今日、ここに来る間に歌をつくったよ」とも言った。

柿の種
　共に仲間だ
　　いつか咲け

「熟した果実は、壮年・婦人・女子部の人々に食べさせてあげるんだ。男子部の諸君は再び種になって、八年間、あらゆる障魔を乗り越えて、見事にまた、実りきるんだよ」

さらに話は続く。藤田泰洋は「八年後の今月今夜……」と、その時の池田の言葉を諳んじた。

「……そうだ。八年後の今月今夜、このメンバーでまた、ここで会おう」――そして、その八年後には、ご家族も一緒に会おう――と池田は続け、「私がつくった〝党〟は、公明党と柿の実党だけだよ」とも笑顔で語った。

――ひとしきり話が終わった時、池田を囲んで座っていた数百人の薩摩隼人たちは静かだった。

虫の声にまじり、男たちの嗚咽や忍び泣きが聞こえ始めた。

「私たちの多くは、悩みを抱えられるかぎり抱えて、池田先生のもとに駆けつけましたから」。

藤田泰洋は穏やかに語る。

愛する家族の病に悩む人もいた。仕事の壁にぶつかり、喘いでいる人もいた。家族の無理解や偏見による反対に遭いながら、「しかし、ここに希望がある」と気づき、信仰を貫こうとしている人もいた。

「先生からいただいた柿の実の話は『ストーリーが続いていく』んです」

「柿が実り、食べた後は種が残り、その中には、すでに双葉のかたちをした胚がある。熟した実は同志に、家族に食べさせなさい。君たちは八年ごとにがんばって、繰り返し、種になりなさい、と……。納得したし、胸を打たれました」

「先生の励ましはその場の一回限りではないですね。将来を見通した励ましであり、仏法の眼で見れば〝三世にわたる励まし〟なのだと感じます」（藤田泰洋）

昨年（二〇二〇年）、「柿の実党」の家族たちは六度目の「八年の節目」を迎えた。

*

「柿の実党」が生まれた日――指宿から集った上野ヒロ子は、中学校の養護教諭だった。保健の授業も受け持った。この日は行事の救護スタッフとして、記念撮影のあった県体育館にも、キャンプファイアの場にも控えていた。

〈……私が「こんばんは」と返事をすると、先生は「いい夜ですね。鹿児島弁では、どう言うんですか？」と聞かれました。私が「『よか晩ぐぁんどなぁ』です」と答えると、先生はマイクを握り、皆に向かって「こんばんは。よか晩ぐぁんどなぁ」と言われると、皆、大笑い〉（上野ヒロ子の手記、以下同じ）

やがてキャンプファイアの火も消え、すべての行事が終わった。おにぎりを食べながら、ヒロ子は「夫も一緒に来られたら、どんなにか喜んだろうか」と思った。

〈戦争で耳を悪くした主人は……真面目で一生懸命な人でした〉。指宿の町を二人で折伏に歩いた。

ヒロ子は一九二七年（昭和二年）に生まれ、看護の道を選んだ。日本の敗戦を挟んだ三年ほどは、山口県の赤十字病院で働いた。〈（前線で傷つき）全身に蛆がわいている重傷兵や、両手、両足がなく樽の中で治療を受けていた人もいました〉。

戦後、結婚してから中学校で働き始めた。創価学会に入るきっかけも戦争だった。〈悲惨な戦争を一緒にくぐりぬけてきた夫の戦友が、昭和三十二年、〝山川町に住む上野〟ということだけをたよりに、福岡からわざわざ夫を訪ねてきてくれました〉。この戦友の縁で、夫婦は信心を始めた。

その四年後、ヒロ子は学会の教育部（教育者のグループ）の研修で池田に初めて会った。〝どんなにつらいことがあっても、悲しいことがあっても、苦しいことがあっても、戦いながら解決していきなさい〟と励まされた。

学校で「彼女は創価学会だから」といじめられることもあった。〈地元に帰ると、さまざまな迫害も受けましたが、この時の先生の言葉を絶えず思い出しながら、すべて乗り越えることができました〉。

*

池田とともにかがり火を囲み、「柿の実党」と名前をもらって意気揚々と帰途に就く若者たちのにぎやかな姿を見て、上野ヒロ子は若くして亡くなった夫のことを思い出していた。

〈……ちょうど、その時、先生が私の前を通りました。先生は、私の心の中を見透かしたかのように「ご主人様を、お大事に……」と声をかけてくださったのです。

私は、たまらず、しゃくりあげるようにして泣きました。そして、やっとの思いで「先生、ありがとうございました」と言いました。先生は、振り返り、手を振って「おやすみなさい」とあいさつを言った後、遠ざかっていきました〉

ヒロ子は手記に〈この日が、私の不退の原点〉と記している。

創価学会に入ってからは「一年に一本、研究論文を書く」と決め、まとめた大学ノートは二十七冊になった。近視を矯正する体操やぜんそくを治すための体操を普及させ、脊柱側彎症の早期発見、治療などに取り組み、発表した研究は何度も賞を受けた。

学校を退職した後は、行政から請われて家庭相談員になり、地域の子どもたちの面倒を見続けた。

生涯を終えるまでに弘教した人の数は、一九八人を数える。

「知力」と「生命力」と「生活力」を身につけよ

記念撮影会が行われ、「柿の実党」が生まれた「九月七日」は、今も「鹿児島の日」として大切にされている。

かつて池田は、東京の氷川で、恩師の戸田城聖を中心に「水滸会」(男子部の人材グループ)の野外研修を行い、皆でキャンプファイアを囲んだ。

男子部の時に、また女子部の時に「夏季研修の〝塔の原グラウンド〟」で池田とキャンプファイアを囲んだ、と述懐する人々も多い。

彼らが未来部を担当し、育てた子どもたちも、さまざまなかたちで池田との出会いを刻んでいった。

霧島での日々は、戸田城聖から託された〝炎のバトン〟を、次の世代へ、さらに次の世代へと手渡し、「未来に生きる人」を育てようとする一日一日だった。

*

一九八三年（昭和五十八年）夏――霧島で行われた「四日間の未来部研修」。高校生の部は二日間にわたった。前半は福岡、佐賀、長崎。後半は大分、熊本、宮崎、鹿児島から集った。

女子高等部員の瀬川美晴は長崎からやって来た。高校二年生だった。

「先生は私たちに『知力』と『生命力』と『生活力』を身につけるように話されました。しかし、その三つが『幸福』に結びつくかどうかは別問題だ、と。世の中には、この三つがあるせいで不幸になってしまう場合も多い。だから信心が大事なんだ、と言われました。今でも私自身の人生の指針になっています」

このとき美晴は、父である地楽安広の病気を心配していた。

「父は若いころから大病を患い、心臓にペースメーカーを入れていました。研修の時は、ペースメーカーの電池を入れ替えるための心臓の手術が目の前に迫っていました」

福岡、佐賀、長崎から研修会に参加した高校生たちと、バーベキューや流しそうめん、ます釣りをし、経（きょう）の滝の岩場で記念撮影に臨む池田（1983年7月、霧島市）©Seikyo Shimbun

〝県内ではまだ手術例がない〟と聞いて、美晴は気が気ではなかった。

父の安広は中学時代、優秀な成績を収め、生徒会長も務めていたが、酒に溺れた父親のせいで高校に進学できず、悩み抜いた。その父親が、創価学会に入って蘇生する姿を見て、自らも信心を始めた。

一番偉い人は誰か

滝の岩場で記念撮影を終えた後、緑の木陰で懇談が始まった。福岡、佐賀、長崎のメンバーが歌や英語劇、剣舞やコントを披露し、池田が用意したスイカをほおばった。

美晴は池田に歩み寄り、「先生」と声をかけた。「父が今度、心臓の手術をします」。池田は「わかった」と言い、美晴の名前と、父の名前を尋ねた。

「その後すぐ、大きな文字で父の名前と『病気平癒』の四文字が記された色紙、『お父様のことを御祈念しました』という伝言、そしてお見舞いの果物まで届きました」

さらに美晴に対して「あなたの求道心に感動いたしました」という池田の伝言が届いた。

「英語の教師になろうと思ったのも、未来部の会合で『世界に目を向けよう』と教わったのがきっかけでした」と語る。二十年以上、普通学級で教えてきたが、ここ三年は特別支援学級の担任をしている。「子どもたちに自分の視野を広げていただきました。毎日、この子たちのことを祈っています」。

学会では、東彼杵郡で地区女性部長を務めている。

「父はあの手術以来、大病はありません。私自身は十六年前に子宮外妊娠になりました。緊急手術は無事に終わりましたが、担当されたお医者さんから、手術前に『この患者さんは亡くなるだろう』と覚悟した、と聞きました。

そういうこともあって、未来部に何かしてあげられないかという思いが強くなりました。

夫も教師をしており、二人で考えてカブトムシを育てました。夏の未来部の会合でプレゼントしたら好評で、学校の生徒にも配っています。今では〝カブトムシの先生〟として有名になりましたね」と笑う。

「自分たちがやったことしか、次の世代には伝えられません。未来部の子どもたちが『自分た

鹿児島の九州研修道場で、夫人の香峯子と語り合うひととき
（1990年10月、霧島市）©Seikyo Shimbun

ちもこういうふうにしてもらったから、次は自分もよくしてあげよう』と思えるようになったらいいな、と思っています」

*

この時の研修で司会を務めた平井秀昭は高校三年生だった。現在、創価学会の九州長を務める。

「池田先生はこれまで九州を七十九回訪問されています。滞在日数は三四〇日を超えます。九州長としてこの一年間、九州の各地を回って実感していることは『先生の一念が、皆さんの心に入っている』ということです。五十年経っても、六十年経っても、色褪せていないのです」

「後継者を育てるために、九州として

の大きな目標はあります。そのうえで〝私自身が率先してどれだけ動けるか〟にかかっている。そう考えています」と語る。

「『師弟』の世界は、少しでも油断すると消えていきます。どんな場所でも、リーダー自身の〝人間革命〟がなければ〝本物の一人〟は出ません。それは私たちがこれから証明することです」

四日間の夏の研修に集まった子どもたちは今、さまざまな分野で活躍している。祖父母や両親の世代には想像もできなかった社会的立場に就いた人も少なくない。

研修の二日目、池田は懇談の場で「誰が一番偉いのか」について繰り返し話している。池田とともに記念のカメラに納まり、九州全土に散っていった子どもたちは、大人になってからも、その言葉を折に触れて思い返してきた。

「一番大事な、偉い人は、創価学会の組織でがんばっている人だ」

「誰よりも尊く、誰よりも大事にしなければならない人は、創価学会の組織でがんばっている人です」

第7章 その子の「心の音」を聴(き)け——兵庫

お世話になった教師への感謝は、歳月が経過するほど、大きくなっていくものなのかもしれない。池田も小学校時代の恩師をはじめとして、良き教師との思い出を繰り返し語ってきた。

未来に生きる人にとって、「教育」が、なかんずく「教師」が、いかに大切であるか。池田の思いを胸に奮闘(ふんとう)するのが「教育本部」の友である。

全国屈指の取り組みが光る兵庫で取材を重ねた。

檜山浩平は、授業を少しだけ早く切り上げた。そして、いつものように吉川英治の「宮本武蔵」をひもといた。大人気だった新聞小説である。連載が続いていた。

まだテレビもなければ、インターネットもない。大衆小説の傑作に、子どもたちも心を奪われた。

一九三八年（昭和十三年）、東京の羽田第二尋常高等小学校。五年生の教室で毎日のように「宮本武蔵」の読み聞かせが続いた。担任の檜山は読みどころ、聞きどころを抜き出しながら、連載が終わる翌年にかけて、一年ほどかけて読み終えたという。

その教室に、池田大作もいた。檜山は池田が五年生と六年生の時の担任だった。「まるでご自身が宮本武蔵になったつもりで、授業の時間をさいてまで、何回となく読んでくださった」と振り返っている（『池田大作全集』第十六巻）。

すでに日中戦争が始まり、国家総動員法が公布され、戦時統制が強まっていく時代である。

檜山の読み聞かせを、池田たちは「武蔵の時間」と呼んだ。そして「本を読む喜び」「物語の喜び」を知っていった。

「自然のうちに、文学のおもしろさを教えていただいたことを、私は今もって感謝していま
す」（同）

創価女子学園（当時）でセミの鳴き声を聞きながら学園生たちと懇談。この日は２部構成の「希望祭」が行われ、池田は小学校時代の担任である「檜山先生」について語った（1978年7月、大阪・交野市）©Seikyo Shimbun

創価学園の関西キャンパスが女子校だったころ、ある行事の場で、池田は檜山の思い出に触れた（一九七八年七月十八日、第六回希望祭）。

「私は今……ある新聞社に一年前から頼まれていた原稿を書い

ております。こちらへまいります直前に、小学校六年の担任の先生のことを書きました。檜山先生という、わずか二年間しか教わっていない先生です」（前掲全集第五十六巻）

ひと月後、その原稿は「サンデー毎日」に載った。〝わずか二年間〟の檜山の印象が、鮮やかに描かれている。

〈……額がとても広い。やや縮れ毛で少しウエーブがかった髪、大きな目、明快な語り口、すらっとした体格、若さに充溢した動作……。先生は、生徒たちの憧憬の的だった。いつも、凛々しい姿で、足早に教室に入ってきた。小柄な私は、前のほうの席である〉（同第二十一巻）

地道に動いた人が最後には勝つ

檜山は授業中、大きな世界地図を使って「みんなは世界のどこに行きたいか？」と尋ねたこともあった。池田はアジア大陸の真ん中を指さした。檜山から「そうか！　池田君、そこは敦煌といって、素晴らしい宝物がいっぱいあるところだぞ」と教わった。

〈名講義は、正規の授業ばかりではなかった。先生は、授業を早めに終わり、ご自身も待っていたかのように、吉川英治の『宮本武蔵』を読んでくれた。……少年の夢は躍った。抑揚のある、そのときの音調、身ぶり、手ぶりとともに、教壇はまさしく、一つの舞台であった〉（同）

一年に及んだ「武蔵の時間」。池田の胸に残った名場面がある。

〈あれになろう、これに成ろうと焦心るより、富士のように、黙って、自分を動かないものに作りあげろ。世間へ媚びずに、世間から仰がれるようになれば、自然と自分の値うちは世の人が極めてくれる〉

池田は後年、読み聞かせがきっかけで知ったこの一節を踏まえ、「なぜ富士は富士になったのか」について語っている（一九八九年のスピーチ、同全集第七十二巻）。

富士山には「少なくとも七十万年前からの基礎があり、しかも、その上に〝活動しつづけた〟からこそ、しだいに高く完成されていった」という。

「ピラミッドも上から造ったわけではない。……個人も、家庭も、企業等あらゆる組織も、国家も、この方程式は同じである」

「なぜ、富士はあれほど美しいのか？　それは……〝一度の爆発〟によってではなく、〝活動の繰り返し〟によって、徐々に形を整えたからである。

お化粧でも、あわてて（笑い）、『ともかく一挙にやってしまおう』（爆笑）としたのでは、なかなかうまくいかないのではないだろうか。（笑い）……一度に自己完成はできない。地道に、着実に活動した人が、最後には勝つ。美しく輝く」

経師は遇い易く人師は遇い難し

檜山浩平と自宅が近く、親交のあった百瀬吉明は「檜山さんご夫妻は池田先生のことになるとニコニコしておられました」と述懐する。

「羽田の小学生時代、担任の檜山さんの家に先生が行かれた時、檜山さんが本をお貸しになったこともあったようです。何度も『あの子は本が好きだったんだ』と聞きました」

〈……滅多に、やかましいことは言われなかったが、厳しい点は毅然としていた。冬のある朝、あまり寒いので、規則を無視して勝手に数人の悪友とストーブに石炭を焚いた。それを見つけた先生は、叱咤された。そして、規則を破ったとして、全員が廊下に立たされたことも、今は懐かしい思い出である。

上から、なにか制約されるような怖いという先生ではない。しかしながら、なんとなく心を正さずにいられない――こんな先生であった〉（同第二十一巻、以下同じ）

六年生の正月には、仲良しの数人と檜山の家へ行った。和服姿の檜山は、わんぱく盛りの集団をお汁粉で歓迎した。

池田は家でつくっていた海苔をおみやげに持っていった。栃木出身の檜山は、東京ではこん

栃木の県体育館で行われた創価学会の会合に小学校時代の恩師・檜山夫妻を招待し、笑顔で語り合う池田（1973年11月、宇都宮市）©Seikyo Shimbun

なにおいしい海苔ができるのか、と目を丸くした。

〈（帰り際）先生は、玄関のところまで送ってくださった。小学校の児童を、一人の大人として遇してくださっていたように思う〉

池田にとって〈そのときの喜びと感謝は、歳月が経過するほど大きくなっている〉という思い出がある。

六年生の修学旅行。京都や奈良、伊勢に行った。戦争のあおりで家業の海苔づくりが傾き、家計は厳しかったが、池田の母の一は、やりくりしてお小遣いを用意してくれた。

〈……生まれて初めての長い汽車の旅で、愉快でたまらなく、気も大きくなってしまい、たんまりあったお小遣いもなくなってしまった〉

友だちに気前よくおごってしまったのである。その様子を見ていた檜山は、池田を人のいない物陰に呼んで諭した。

〈「池田君、君の兄さんたちは兵隊にいっているんじゃないか。お父さんや、お母さんに、お土産をあげなけりゃいけませんよ」。

そう言われればそうである。私はションボリしてしまった。檜山先生は、私を階段のかげに呼んで、そっとお小遣いをくださった〉

檜山は二円を手渡してくれた。池田は「生涯、忘れ得ぬ二円になりました」と述懐している（同第一一六巻）。

*

栃木の県体育館で大きな会合があった時、池田は創価学会会長として栃木在住の檜山夫妻を招待した（一九七三年十一月六日）。檜山が小学校の校長を勤め上げた翌年のことだった。

控え室でお互いに「先生」と呼び合うことになり、笑顔の絶えない三十数年ぶりの再会だった。

池田は自ら撮った「夕陽」の写真集を贈り、〈経師は遇い易く　人師は遇い難し〉と書き添えた。〝書物の解釈を教えてくれる先生はたくさんいるが、人の道を教えてくれる先生は少ない〟という意味である。

檜山は「トインビー博士と対談されたんですねぇ」と声をかけ、池田の活躍を喜んだ。再会の後、かつての教え子の印象を語っている。

「あの子は、小学校のころから、友だちからの信頼が厚い子でしてね。決して〝いいわけ〟などしない、落ちついた子でした」

「なんといいますかね。友だちに温かみを与える子だったのが、そのまま大きくなって、他人に温かみを与える人間になった。こんな気がします」

檜山は一九七〇年（昭和四十五年）前後に吹き荒れた「言論出版問題」の後、

「高木（こうぼく）は風に妬（ねた）まれる」

ということわざを手紙に記し、池田に送っている。

「晩年まで、『池田先生が私のことをいつまでも覚えてくれているのがありがたい』『教師冥利（みようり）に尽きるよ。教え子といっても、私が教えられているんだけど』と言っておられたのが印象的でした」（百瀬吉明）

池田との交友は、檜山が二〇〇四年（平成十六年）に亡くなるまで、六十年を超えて続いた。

すべてを忘れたあとに残るもの

これまで池田が繰り返し語ってきた〝学校教育の原風景〟は、すぐれた教師に恵まれたものだった。

「教師こそが、『学校』それ自体と言える」「『人間』だけが『人間』をつくることができる」(『母と子の世紀』、同全集第六十三巻)――こうした池田の思いに触発され、〝子どもにとって最大の教育環境は教師自身〟という信条で試行錯誤を続ける人たちがいる。

創価学会の「教育本部」――学校教育をはじめ、幼児教育、社会教育などに携わる人々の集まりである。

子どもに何を残すのか。未来に何を残すのか。彼らの奮闘を支えてきた、池田の励ましの言葉をひもとく。

*

池田が教育を論じる時、それは「既成概念」を揺さぶる挑戦でもあった。これまで何度も触れてきた言葉のなかには、アインシュタインの次の一文がある。

〈結局、教育とは、学校で習ったことを、すべて忘れたあとに残っているところのものである〉(『晩年に想う』講談社文庫)

デンマークの教育者との対話では、そもそも「教育」という言葉そのものが「教育」の本義をゆがめてしまう危険についても語り合った(ハンス・ヘニングセンとの対談集『明日をつくる〝教育の聖業〟』潮出版社)。

「教育」という言葉には、「国家の経済発展の道具」と化してしまう危険がひそんでいる。いっぽうで、たとえば「啓発」という言葉のほうが、「教育」よりも「はるかに広い視野に立つもの」ではないか――。

また、池田は「感化」という言葉を使うことが多い。〝シビレエイは、自分がしびれているからこそ、相手をしびれさせることができる〟――「人類の教師」ソクラテスを象徴するこの有名なたとえも、好んで用いてきた。

「これまでの教育本部の取り組みは『こうしなさい』という一方向の指導ではなく、池田先生との〝双方向のキャッチボール〟で形づくられてきました」。教育本部長の高梨幹哉が語る。

「その象徴の一つが『教育実践記録』です。近年は日本国内のみならず、海外からも参考にしたいという声が増えています」

毎日の「授業」での工夫。子どもの「問題行動」の解決……教育本部の有志は、すべての都道府県で、現場のさまざまな取り組みを記録し続けてきた。

二十世紀を代表する哲学者であり、教育者のジョン・デューイ。その名を冠する研究センターで所長を務めてきたラリー・ヒックマンは、この「教育実践記録」について池田に提案している。

「こうした記録は、教室での問題解決にとって非常に貴重な事例研究（ケース・スタディー）となるのではないでしょうか。

もし、まだ発刊されていないのなら、適切に編集して世界各地の教師たちにも読めるよう出版していただきたいと思います」（池田とジム・ガリソン、ラリー・ヒックマンのてい談『人間教

育への新しき潮流』第三文明社）

この時点で「実践記録」はすでに四万件を超えていた（二〇一〇年）。今は十四万五〇〇〇件を数える。

「牧口先生（牧口常三郎、創価学会初代会長）が掲げ、戸田先生（戸田城聖、第二代会長）が引き継ぎ、池田先生が広げた『創価教育』の思想が、公教育の現場でどのような良い影響を与えるのか。ここに新たな注目が集まりつつあることを実感しています。実践記録は〝池田先生の思想を、私はこう実践した〟という記録でもあります」（高梨幹哉）

「実践記録」運動の源流は、「教師への暴力」をはじめ、さまざまな教育問題が世を騒がせていた昭和四十年代から五十年代にさかのぼる。

「自己の完成」と「他への慈愛」

「八月十二日は教育本部にとって『教育原点の日』ですが、私自身にとっても、とても大切な日なんです」

そう語る山口健次は、兵庫の地で「教育実践記録」運動をリードしてきた一人である。

二〇一八年は兵庫だけで一八〇〇件を超える実践記録が集まった。全国屈指である。これまで「読売教育賞」の最優秀賞に輝いた取り組みをはじめ、多くの社会的な実績も生まれている。

創価学会の教育部（当時）の夏季講習会でスピーチする池田。「教育部の皆さん方が、教育革命の大情熱の火を点じ、未来社会への豊かな水脈をつくっていただきたい」と期待を述べた（1975年8月、東京・八王子市）©Seikyo Shimbun

健次は小学校教師として、とくに国語教育に力を注いできた。教頭や校長、兵庫県の小学校教育研究会国語部会長なども務めた。

創価学会とめぐりあったのは佐賀大学教育学部で学んでいた二十歳の時だった。「学生時代、私に仏法を教えてくれたのは今の妻です」。

一九七五年（昭和五十年）の八月十二日——東京の創価大学で、教育部（当時）の講習会が開かれた。池田の講演は二十分ほどだった。

その日の前後、二十六歳の山口健次は淡路島にいた。泊まりがけで、学会の青年教育者の会合に参加していた。

「私は創大の講習会には参加していません。しかし、あの日の先生の話が載った聖教新聞を読んだ時のことは忘れられません。とくに〝自己の完成〟と〝他者への祈り〟は直結しているんだ、という話に、心を動かされました」

＊

この年、創価学会は「教育・家庭の年」と掲げていた。講演の冒頭――「戦前は、軍事を先にして、その後に人間がついていった」「戦後は、経済を優先してそのあとに人間が追随していった」と池田は振り返る。

そして、この順番を「逆転」させる突破口は教育以外にない。「私の人生における最後の事業も教育と決めております」と語った。

強調したのは「聴く力」だった。池田はこの三カ月前、フランスのパリを訪れている。その際、意見を交わした大学学長のコメントを紹介した。

――よく学生と教授の間に断絶があるといわれるが、断絶というよりむしろ交流がないといったほうがいい。その責任は教育者の側にある。

教育にとって何よりも大事なのは「よく聞く」ことである。「指導」するよりも、学生の言い分を「よく聞く」ことを考えるべきだ。しかもそれは、聞いた内容で相手を責めるためのものではない――

子どもの表面上の言葉から、その子の「心の音」を聴くこと。この努力が「今ほど教育界に必要なときはない」と訴えた。

そうした試みを支えるものこそ宗教なのだが、「自己の完成」と「他への慈愛」は、なかなか一体化させることができない。

――「自己の完成」に走ると利己主義に陥る。「他への慈愛」に走ると自己犠牲に陥り、自分で自分を騙してしまう。しかし、日蓮仏法は二つを一体化する道を開いた――この池田の指摘に触れて、山口は目の前が開けたという。

「〝他者に対する菩薩道が即、自分自身の完成になる〟という一言で、私自身の教育現場での悩みに光が差した気がしました」

教師自身が変わる「人間革命」によって「教育革命」を促すこの講演は、教育に携わる多くの人々を奮い立たせた。さらに池田は、日蓮の言葉を二つ挙げている。

〈喜とは自他共に喜ぶ事なり〉

〈自他共に智慧と慈悲と有るを喜とは云うなり〉

（「御義口伝」、ともに御書七六一ページ）

そして「これらの御文は御書（日蓮の遺文集）の全体を貫いており」、ここに「人間教育の基盤が完成された」と明言した。

「喜ぶ」という言葉のほんとうの意味は、「自分も他人も喜ぶ」ということ――この日蓮の思想を、池田は「教育」の根本に据えたのである。

＊

池田が講演した一週間後、愛知で青年教師による「実践弁論大会」が開かれた。名古屋、東京の千代田、千葉の船橋、広島の福山、長崎の松浦……各地の小学校や高校の教師が、現場で生まれたドラマを語った。

来賓あいさつに立った愛知県の教育長は、創価学会の取り組みは「先駆的な提言」と評価している。

翌年には、東京で第一回の「教育実践報告大会」が行われた。これも青年教育者たちが主催したものだった。

それ以降、全国大会は仙台、札幌、横浜、長野、京都……と毎年場所を変えて続いている。

二〇一八年は鹿児島で四十回の節目を刻んだ。

〝此乃先生ありて 未来に希望あり 平和あり〟

池田の創大講演から七年後、山口健次は兵庫の「青年教育者」の中心者になっていた。

「あの年は一〇〇人ほどのメンバーで決意を和歌にして文集を作ったんです。その文集を、前

「皆のことは、覚えたよ。頼むよ！」――未来部の代表メンバー一人ひとりを見つめながら声をかける池田（1988年3月、兵庫・尼崎市）©Seikyo Shimbun

任者の田中收さんと一緒に東京に持って行った時、教育部の先輩に連れられて神奈川文化会館まで行きました」

一階ロビーで待っていると、池田が現れた。

「先輩が先生に、私たちが兵庫から来たことを紹介すると『よく来たね！』と本当に喜んでくださった。周りの幹部の方にも『神戸から、わざわざ青年教育者が来てくれたんだよ。うれしいね。うれしいね』とおっしゃって、こんなに喜ばれるのか、と励まされたこちらが驚くほどでした」

翌年（一九八三年）、池田が兵庫を訪れた際には「兵庫教育者クラブ」の第一期が結成される。「神戸、尼崎、西宮、姫路、播磨、淡路島と六つの教育者クラブができました」（山口健次）。

池田はこの日、色紙に筆を走らせ、

此乃先生ありて
未来に　希望あり
未来に　平和あり

と記した。

＊

兵庫の相生市で保育園を経営する荻原尚子はこの日、池田が「教育部、頼むよ」と何度も繰り返した光景が心に焼きついている。

園の掲げるモットーは「子どもにとって最大の保育環境は保育士自身である」。これまで取り組んできた環境教育が県の保育大会で県知事賞を受け、専門誌でも紹介された。

がんとの闘病。夫の入院。子宝に恵まれないことがわかり、失意に沈んだ日々。学会の婦人部の先輩が「自分の子だと思って、よその子をしっかり育ててあげましょうよ」と励ましてくれたこと……人生のさまざまな波を乗り越えられた原点は、二十三歳の夏の一日だったという。

「私の青春時代は、てんかんに苦しむ毎日でした。最初の発作は十三歳で、ひどいいじめにも遭いました。大学生の時には自殺未遂まで起こしました。

その時、弟の慎治に『ねえちゃんだけ、苦しいんと違うんや！』と振り絞るような声で言わ

よく来たね——。兵庫のメンバーとの記念撮影会の折、少年の服の胸ポケットにお菓子を入れながら、親しみを込めて語りかける池田（1966年9月、神戸市）©Seikyo Shimbun

れたんです。二年前、母が創価学会に入っていました。問題児だった弟も続き、二人が変わっていく姿を見て私も十九歳で信心を始めました」

学生部の先輩から聞いた「どんな人でも、使命のない人なんかいない」という言葉も胸に残った。

その後も発作は続いた。「折伏に歩くと『あんたが治ったら信じてあげる』とか、『不幸なあんたが何言ってんの』とか、散々言われたこともありました」。

最も苦しかった二十三歳の夏、東京に住んでいた弟に誘われ、創価大学を見学した。あいにくの大雨だったが、キャンパスでは通信教育のスクーリングが行われていた。

A棟ロビーの展示を見ている時だった。後ろから肩をたたかれた。振り返ると池田だった。

「どこから来たの？」と尋ねる池田に、尚子はこれまで、てんかんで苦しんできたことを訴えた。

「わかってるよ。病気のことは、もう言わないんだよ」。池田は尚子に「もう、言わなくていいんだよ」「何があっても、絶対にくじけちゃいけないよ」と励ました。

さらに、居合わせた通信教育の学生たちにも声をかけ、一緒にカメラに納まった。その写真を手に、尚子は「私の人生はあの日から変わりました」と述懐する。保育士として無我夢中で子どもと向き合い続け、気がつけば二十七歳を最後にてんかんの発作は止まっていた。

三十三歳で結婚。一度は保育士の仕事をやめたが、夫の隆浩と話し合い、父が経営してきた保育園を継いだ。学会では婦人部本部長などを歴任し、相生の町を走っている。

「集まっては
また民衆の中へ」

「定年を迎えた校長をもう一度採用する制度があるのですが、今年（二〇一九年）で二年目になりました」。そう語る森本秀子も「兵庫教育者クラブ」結成の場に集った一人である。

その場で池田は〈此の経を持つ人人は他人なれども同じ霊山へまいりあはせ給うなり〉

——この法華経を受持する人々は、他人であっても同じ霊鷲山（法華経が説かれた仏国土）に参られて、また会うことができるのです——（上野殿御返事、御書一五〇八ページ）という日蓮の言葉を通して、過去、現在、未来の三世を貫く「永遠の生命」を説き、「法を弘める人々」の連続性を語った。「先生が〝今、世界には四十億もの人がいる。折伏のしがいがあるじゃないか〟と言われたことを覚えています」。

秀子は今、創価学会で総兵庫の女性教育者委員長を務める。小さいころ、小児結核で苦しんだ。

「小学一年生の時は、入学式しか行っていません。一年間、登校できませんでした。私が生まれてしばらくして、酒好きな父が脊椎カリエスで倒れたのです。私の病気も父の影響でした。父は入院先の医者からも見放され、母は『家で看取ってください』と言われました。母はそれがきっかけで創価学会に入ったのです。昭和三十五年です。私は三歳でした」

母は父のかわりに仕事をかけもちし、必死で働いた。〈我並びに我が弟子・諸難ありとも疑う心なくば自然に仏界にいたるべし……〉（御書二三四ページ）——日蓮の主著「開目抄」の一節が心の支えだった。

「女性は手に職を持たねば、いざという時、不幸になってしまうよ」。母は秀子に言い聞かせた。結核が治った秀子は高校時代、朝六時から中央卸売市場でのアルバイトで旅費を稼ぎ、未来部（小・中学、高校生のグループ）の夏季講習会に参加する。

「池田先生から『このなかから将来、弁護士や、お医者さんや、教育者や、社会のあらゆる分野で活躍する人が出てくることを祈っているよ』と言われて、私は教育者になる道を選びました」

学生時代、池田から言われた「民衆を忘れてはいけない」という一言も心に刻まれていると語る。

その日、池田はキリスト教から学ぶべき歴史の教訓を語った（東京教育部の会合、一九七七年二月六日）。

——キリスト教は迫害を受けるたびに大きく民衆の中に広がっていった。教会や伽藍（寺院）というものは、常に民衆の側に立つものである。神と人間との間に立ちふさがってはならない。

集まってはまた民衆の中へ飛び込む「集合離散」の方程式で、人類への流れ、民衆への流れをつくっていくことが「宗教の生命線」である。「原点を掘り下げる」努力と、「人類、民衆への流れ」。この二つが新しい時代をつくる——

偏見が消えた瞬間

「教員を目指していた学生時代、一番鮮烈に残っているのは、教育実習の担当をしていただいた方と創価大学に行った時のことです」と森本秀子は振り返る。

「私は八王子で教育実習を受けたのですが、担当してくださった女性教員の方が、創価学会に対して先入観を持っていて、批判的だったんです。私は彼女を創大祭（秋に行われる大学祭）に招待し、彼女の車で創大に向かいました」

あいにく、キャンパスに近い駐車場はすべて埋まっていた。一番遠い「太陽の丘駐車場」まで誘導されて、車を停めようとした時だった。

一台の車の窓が開いていた。居合わせた若い男性を、池田が励ましている。

「私は『創立者の池田先生です。ちょっとご挨拶に行ってきます』と言って、乗っていた車から飛び出しました」

秀子は、兵庫の教員採用試験に受かったことを池田に伝えた。

「よかったね！」「あちらの方と、このあんパンを半分こしてね」

秀子は池田から手渡されたあんパンを持って、自分たちの車に戻った。ほどなく池田の車が目の前を通った。

「運転席に座っていた彼女にも、助手席に座っていた私にも、深々と頭を下げる先生の姿が見えました。

あの瞬間から、彼女の創価学会に対する態度が変わりました。『私、池田さんへの見方を変えるわ。一人を大切にする人なんだね』と言われました。学生がつくった展示も熱心に見てくれました。

教員として苦しいことがあるたびに、あの日のことを思い出して、がんばってきました」

＊

「兵庫は『教育実践記録』も、学会の子育て世代をサポートする『家庭コン（家庭教育懇談会）』も、全国屈指の取り組みだと思います」。総兵庫教育部長の瀬戸口隆生が語る。

京都産業大学を卒業し、社会に出た後、通信教育で教職の資格を取った。公立小の校長などを経て、今は神戸市の児童館で館長を務める。

「教育本部の活動も、基本は一対一の対話なんです」。そう語るのは同副教育部長の松浦町子である。これまで中学校教育に尽力し、兵庫県の女性校長会会長なども務めた。

月に一回、皆の活躍の話題を一枚の通信紙にまとめて、手分けしてメンバーに手渡す。「実践記録運動は、家庭訪問による励ましの積み重ねです。いわば〝大きな花〟を一つ咲かせて終わりではなく〝小さな花〟をたくさん咲かせようという挑戦です」。

＊

「青年部から自発的に始まった『教育実践報告大会』が、大きな転機を迎えたのが一九八四年（昭和五十九年）でした」（高梨幹哉）

この年の夏、創価学会の教育部は二万人の総会を開き、日本武道館を埋めた。総会に寄せて池田は、のちに「教育所感」と呼ばれるようになる論文を発表している（「教育の目指すべき道

日本武道館で盛大に開催された創価学会の全国教育者総会（1984年8月、東京・千代田区）。席上、のちに「教育所感」と呼ばれるようになる池田の提言「教育の目指すべき道――私の所感」が紹介された ©Seikyo Shimbun

――私の所感」）。

　そのなかに、

〈教育活動の基本である授業記録の着実な蓄積(ちくせき)を期待したい〉

という一文があった。

　この短い一文を読んで、腹の底から「そうだ！」と叫んだ男がいた。水畑利章である。

　それまで、たしかに教育実践を発表してきた。しかし「記録」を重んずる姿勢は欠けていた。

　水畑は生前の手記に〈「教育事実を記録するという実践記録が、最も地道であり、最も確実な道なのだ」と心から納得できました〉と綴(つづ)っている。

　教育部の先輩である中野喜八郎にも「まずはあなたが実践記録をつけては」と背中

を押された。

喜八郎は東京高等工芸学校（現・千葉大学工学部）で教えていたが、結核に倒れて休職。さらに薬の副作用で難聴に陥った一九五六年（昭和三十一年）、創価学会に入った。千葉の高校で化学を教えながら、夫婦で高根支部の初代支部長、支部婦人部長として活躍した。池田から厳しい薫陶を受けて育った教育部草創の一人である。

七八年（同五十三年）には訪米団、八一年（同五十六年）には訪ソ団の一員として、池田の民間外交に間近に接した。創価学会が主催した〝世界の教科書展〟では教科書分析の責任者になり、十数カ国の大使館に足を運んだ。

「教育所感」が発表された八四年、池田は中野を「地道によくがんばってきましたね」とねぎらい、自ら「ＳＧＩ（創価学会インタナショナル）文化賞」のメダルをかけている。

自らの「炎の矢」で深い霧を切り裂け

水畑利章は一九七九年（昭和五十四年）、開校して間もない東京の創価小学校に赴任した。池田が第三代会長を辞任した年である。

同僚だった鉤賢太郎は「創価小学校が誕生してまだ二年目でした。水畑さんは私たちのまとめ役の一人で、どれだけ激しい議論になっても『否定しない人』『押しつけない人』でした。全国の教育部員の方も、安心して相談できて、力を引き出されていったのではないかと思います」と述懐する。

ある懇談の場で、水畑たちは池田から「何か質問はないか」と尋ねられた。水畑は切羽詰まった表情で「創価教育とは、何でしょうか」と問うた。「ちょうど水畑さんがずいぶん悩んでおられた時でした。とても大きな質問なので、その場にいた私たちも緊張しました」（鉤賢太郎）。

池田は即答した。「それは、妙法を唱えるあなたが、慈悲の生命で、成し遂げていく教育です」。こうしろ、とか、ああしろ、という指示は一切なかった。この一言が水畑の後半生を支えていく。

*

池田の「教育所感」を読み、水畑は大学ノートを一冊買った。

〈……気になる子や困ったことをメモしました。……数週間後、自分の記録を読み返して、子どもたちのマイナス面ばかりの記録ということに気付いたのです。……自分が恥ずかしくなりました。それからです。一人ひとりのよい面、プラス思考の記録を心掛けるようになりました〉〈短所ではなく、長所や成長に目が向けられるようになり……「閻魔帳から菩薩帳」の記録に変わっていったのです〉（水畑利章の手記）

晩年まで書き続けた大学ノートは一〇六冊を数える。

どうすれば、教育者が誰でも、どこでも、授業の記録がつけられるようになるのか。三十人ほどの教育部員と議論を重ね、〝ＡＢＣシート〟と呼ばれる一枚の紙が生まれた。

Ａが「子ども、学級の実態」。

Ｂが「教師の手立て・創意工夫」。

Ｃが「子ども、学級の変容」。

水畑たちは「子どもがどのように変わったのか」に焦点を絞った。「これがあれば、忙しいなかでも記録がつけられる」「立ち止まって考えることができるようになった」と好評を博し、運動を定着させる原動力になった。

休みになると全国を飛び回った。二〇〇一年（平成十三年）の時点で、水畑が重ねた懇談は〈延べ五百回、人数にして一万五千人を超えました〉と記している。

池田の提言を受け、試行錯誤を始めてから十六年が経っていた。「実践記録」は一万件を突破した。

この年、池田は「社会のための教育」ではなく、「教育のための社会」をつくるべきだ、と訴える提言を発表する（学会創立七十周年記念「教育提言」）。

そのなかで池田は、水畑たちが切り開いた一万の「実践記録」こそ、〈荒れる教育現場で子どもたちと四つに組んだ汗と涙の記録〉であり、〈〝地の塩〟〉であり、〈合掌しつつ感謝した

東京創価小学校の第３回入学式に出席した際、児童たちに語りかける池田。右から２人目の眼鏡をかけた男性が水畑利章（1980年4月、東京・小平市）©Seikyo Shimbun

い〉と綴った。

一六年（同二十八年）、水畑は六十九年の生涯を終えた。葬儀に参列した教え子たちの列はひきもきらず、九〇〇人を超えた。

＊

池田は教育関係者たちとの懇談で「教育者のデューイが、自らの信条としていたことは何か」と問うたことがある。

ある人は「平等」を挙げた。「生命の尊厳」や「価値の創造」を挙げる人もいた。議論百出、さまざまな意見が飛び交ったが、池田は「デューイが信条にしていたのは、『威張らない』ことだ」と語った。

「学校の教師、教育者、そういう者が威張ったり、生徒を見下ろしたり、見下したり、そうしたら、もうおしまいだ。威張らないこと。これがデューイの信条だったんだよ」

飾らないデューイは「卵屋のおじいさん」と間違われたこともあった。晩年のことである。デューイは別荘の農場でにわとりを飼っていた。とれた卵を、農夫に頼んで近所の人に分けていた。農夫が休んだ時には、デューイ自身が卵を配って回った。

その時の様子を池田が語っている。

「……あるお金持ちの家の婦人が、だぶだぶのズボンをはいた博士を見て言いました。『おや、いつも来る人はお休みなの？　それでデューイ農場から卵を配るのに、おじいさんを一人よこしたってわけね』

博士は、『いや、自分がデューイです』とは名乗らなかった。後日、このお金持ちの婦人の家に、デューイ博士が食事に招かれました。博士を迎えると、その婦人は驚いて言ったそうです。『おや、まあ、卵屋さんじゃないの！』（笑）と。

そのときのデューイ博士の愉快そうな笑顔が、目に浮かぶようです」（前掲『人間教育への新しき潮流』）

このてい談で池田は、デューイが綴った一篇の詩を紹介している。

「真理の松明」と題されたその詩は、教育者にとって自らの「人間革命」がどれほど大切なのかを、静かに訴えている。

〈……昔もえていた光は

未来への道を今、てらしはしない。
くらやみの中から少しずつ
今ゆく道をまなぶのだ。
ひろびろとまわりがひらけて
ふみかためられた道が幾条(いくすじ)も見えるとしても、
君のさがしている真実の道はあらわれてはこない

みずからの炎の矢が
旅路をおおう深い霧をきりさくまで〉

初出　月刊『潮』
未来を生きる人篇（1）　（二〇一九年一月号）
未来を生きる人篇（2）　（二〇一九年二月号）
未来を生きる人篇（3）　（二〇一九年三月号）
未来を生きる人篇（4）　（二〇一九年四月号）
未来を生きる人篇（5）　（二〇一九年五月号）
未来を生きる人篇（6）　（二〇一九年六月号）
未来を生きる人篇（7）　（二〇一九年七月号）

単行本化にあたり、全編にわたって修正・加筆しました（一部、敬称を略しました）。

文中の年齢、肩書き等は原則として連載時のものです。また、引用文中のルビは編集部によるものです。

民衆こそ王者　池田大作とその時代 16
「未来に生きる人」篇

2021 年 10 月 2 日　初版発行

著　者　「池田大作とその時代」編纂委員会
発行者　南 晋三
発行所　株式会社　潮出版社
〒 102 - 8110　東京都千代田区一番町 6 一番町 SQUARE
電話　03 - 3230 - 0781（編集部）
　　　03 - 3230 - 0741（営業部）
振替　00150 - 5 - 61090
印刷・製本　大日本印刷株式会社

Printed in Japan　ISBN978-4-267-02306-4　C0095

[http://www.usio.co.jp]